LE MARIAGE EN QUESTION

DÉJÀ PARUS

Renée B.-Dandurand et Lise Saint-Jean
Des mères sans alliance.
Monoparentalité et désunions conjugales.
IQRC, 1988, 297 pages.

Renée B.-Dandurand, dir.
Couples et parents des années quatre-vingt.
IQRC, 1987, 284 pages. Collection « Questions de culture »,
n° 13.

RENÉE B.-DANDURAND

LE MARIAGE EN QUESTION

ESSAI SOCIOHISTORIQUE

2e édition

1991
Institut québécois de recherche sur la culture

Données de catalogage avant publication (Canada)

Dandurand, Renée B.

Le mariage en question: essai sociohistorique

Bibliogr.: p.

ISBN 2-89224-114-6

1. Mariage — Québec (Province). 2. Mari et femme — Québec (Province). 3. Femmes (Épouses) — Québec (Province). I. Institut québécois de recherche sur la culture. II. Titre.

HQ559.D36 1988   306.8'1'09714   C88-096581-9

Conception graphique de la couverture: Marc Duplain

ISBN 2-89224-114-6
Dépôt légal, 3ᵉ trimestre 1988 — Bibliothèque nationale du Québec
© Tous droits réservés

Distribution: Diffusion Prologue inc.,
1650, boul. Lionel-Bertrand, Boisbriand, Québec J7E 4H4
Téléphone: (514) 434-0306 • Télécopieur: (514) 434-2627

Institut québécois de recherche sur la culture,
14, rue Haldimand, Québec G1R 4N4
Téléphone: (418) 643-4695 • Télécopieur: (418) 646-3317

Table des matières

Introduction

En moins d'un quart de siècle dans notre société, le mariage a été fortement mis en question.

En 1960, une institution apparemment stable, sinon toujours harmonieuse, unissait légalement la plupart des couples: c'était le mariage religieux et indissoluble, qui présidait à la fondation de la famille, cadre où les enfants étaient conçus et élevés.

En 1985, ce «règne incontesté du mariage légal est révolu»[1]. Après avoir autorisé le mariage civil et l'accès au divorce, la société québécoise a vu nombre de couples rompre leur union (séparations, divorces), retarder leur mariage ou s'en écarter carrément (unions libres, naissances hors mariage). En même temps, les rôles des conjoints se voyaient transformés, passant du modèle traditionnel des sociétés industrielles, l'union de la ménagère et du pourvoyeur, à celui du couple à double salaire, qui dorénavant marque la norme en Amérique du Nord.

Juridiques, religieuses, économiques et culturelles, ces transformations matrimoniales — qui apparaissent en même temps qu'un fléchissement de la natalité — atteignent l'ensemble des pays développés: en Europe occidentale comme en Amérique du Nord, on assiste à des changements analogues des modes de vie, que n'avaient prévus ni les démographes, ni les autres spécialistes des sciences humaines (Roussel, 1987; Kellerhals et Roussel, 1987). Chaque société est cependant touchée de façon plus ou moins variable et selon des modalités particulières.

Le Québec présente pour sa part un profil assez distinctif. À l'instar d'autres sociétés catholiques, il fait, dans les années soixante, une entrée timide et tardive dans la modernité pour ce qui est de sa vie familiale et matrimoniale. Puis après le tournant de la décennie soixante-dix, il connaîtra «des transformations plus spectaculaires que partout ailleurs», constate le démographe français Patrick Festy (1986: 55). Deux spécialistes dressent ainsi un bilan sommaire de la situation:

> Nous sommes frappés par la rapidité, la multiplicité et l'ampleur des changements survenus depuis la fin des années cinquante. À cette époque, les comportements traditionnels l'emportent encore: forte nuptialité, grande stabilité des unions, maintien de l'importance des familles relativement nombreuses, recours très modéré et peu efficace à la contraception. Puis au cours des années soixante et soixante-dix, ils vont céder un à un:
>
> — c'est d'abord la taille de la famille qui se réduit de moitié grâce à l'adoption massive des moyens contraceptifs les plus efficaces;
>
> — c'est ensuite la montée du divorce et le choix de la stérilisation contraceptive;
>
> — c'est finalement la chute de la nuptialité et la montée de la cohabitation (Lapierre-Adamcyk et Peron, 1983: 36-37).

Que s'est-il donc passé? Comment de telles transformations de nos modes de vie ont-elles pris place? *C'est le propos de ce livre de retracer l'évolution socio-historique du mariage et de la conjugalité au Québec pendant le quart de siècle qui s'étend de 1960 à 1985.*

Mais en préambule à cette étude, on ne peut éluder une autre question: pourquoi la plupart des pays industrialisés connaissent-ils, depuis 20 ans, des perturbations analogues de leur vie matrimoniale? Une telle convergence n'oblige-t-elle pas à se demander, au-delà des frontières de notre société, quelle transition sociale est en train de s'opérer, quels arrangements fondamentaux sont ainsi contestés. Pour saisir le sens d'un tel mouvement et spécifier quelles dimensions de l'évolution matrimoniale récente sont les plus pertinentes à retenir pour les fins de l'analyse, une courte rétrospective historique est nécessaire sur le mariage en société industrielle; quelques postulats en seront tirés, qui ont guidé la recherche dans le présent essai[2].

* * *

Dans les sociétés humaines, il semble que le mariage ait été l'institution par excellence de la normalisation sociale des rapports entre les sexes: pour formaliser la division sexuelle du travail, pour contrôler l'exercice de la sexualité et de la procréation, pour légitimer les enfants et surtout pour leur attribuer un père, le mariage a joué un rôle fondamental dans l'histoire de l'humanité (Rivière, 1977; Tabet, 1985). Dans les sociétés paysannes, le mariage coïncidait en général avec l'installation des conjoints dans une unité domestique, qui était également l'unité de production des moyens d'existence: bien que chacun d'eux ait été affecté à des tâches spécialisées, les conjoints étaient aussi des *partenaires* des activités de subsistance, recevant l'aide de leurs enfants à mesure que ceux-ci grandissaient. Cet arrangement social, qui faisait coïncider mariage, famille et unité de subsistance — et qui fut sans doute le plus répandu avant l'époque moderne —, connaîtra des changements importants avec l'industrialisation. En Europe, au début du capitalisme, là où l'industrie embauche hommes, femmes et enfants, la famille ouvrière s'est trouvée fortement ébranlée. Les restrictions législatives au travail des enfants et des femmes ainsi que les besoins de main-d'oeuvre du capital auront pour effet de constituer le père en gagne-pain de la famille et de stabiliser celle-ci. La sociologue Roberta Hamilton (1978: 24) décrit ainsi les aménagements qui, avec l'instauration de la *ménagère* et du *pourvoyeur*, vont dorénavant fixer maris et femmes en des lieux de travail nettement différents du tissu social:

> C'est dans la séparation de la production et de la consommation, du travail et de la maison, du travail ménager et du travail tout court, de la vie publique et de la vie privée, que s'est développée la division sexuelle du travail propre au capitalisme (traduction libre).

C'est à partir de la fin du XIXe siècle que la société québécoise va connaître, accompagnant la prolétarisation et la migration vers les villes (voir Bradbury, 1983; Bouchard, 1986; Hughes, 1945; Fortin, 1971), une transformation de ses rapports matrimoniaux. L'industrialisation entraîne en effet une affectation assez exclusive des hommes et des femmes à des sphères nettement séparées de l'activité sociale, séparées autant par le lieu du travail (usine, bureau *vs* maison) que par les conditions dans lesquelles il s'est exercé (travail socialisé et salarié dans le cas de l'homme, isolé et non salarié dans le cas de la femme). Ces affectations, divergentes donc, à la sphère privée et domestique d'une part, et aux autres productions de biens et de services de la sphère publique d'autre part, instaurent une dichotomie des sexes assez inédite (Rapp-Reiter, 1975: 79): *les hommes et les femmes vivent en sphères plus que jamais séparées et développent des attitudes et intérêts plus souvent opposés qu'autrefois* (Lynd et Lynd, 1929). De telles différences s'accompagnent de particularités nouvelles dans les rapports de sujétion et de dépendance d'un sexe par rapport à l'autre: le rapport de domination des hommes sur les femmes dans la société conjugale est reconnu socialement dans l' *autorité juridique* conférée *au chef* de famille, d'autant plus marquée alors, qu'elle s'accompagne d'une nette minorisation juridique des femmes mariées (voir Code civil du Québec issu du Code Napoléon); il s'inscrit également dans le fait que la société matrimoniale et familiale devient un lieu de «*redistribution*» des ressources (Hartmann, 1981), les femmes adultes devant subsister avec un *accès indirect aux ressources monétaires*, à même le salaire du mari[3]. Car il y a peu d'emplois salariés pour elles, et quand il arrive qu'elles travaillent, la loi donne au mari un droit de regard sur le salaire de son épouse. En Amérique du Nord, les épouses sont donc assez rarement des salariées et «jusqu'en 1950, les femmes mariées sont pratiquement absentes du marché du travail. Elles se trouvent totalement dépendantes, avec les enfants, du salaire d'un homme pour leur survie» (A. Gauthier, 1983: 38).

Affectés à des sphères différentes d'activité, les conjoints verront les *rapports à leur progéniture également transformés*. Avec la consécration quasi exclusive des femmes aux fonctions maternelles, les enfants des sociétés industrielles sont de plus en plus placés sous la responsabilité effective des femmes (et d'une nouvelle institution, l'école). La conception nouvelle de l'enfance, l'organisation du travail masculin hors de la sphère domestique et, plus tard, l'essor de l'hygiène, de la puériculture et de la psychanalyse vont contribuer à renforcer la dyade mère-enfants. Par contre, à cause des conditions de vie auxquelles elle a été soumise, la dyade paternelle a été appauvrie: en plus de travailler hors de la maisonnée, le père, salarié comme ouvrier ou employé, a cessé d'apprendre son métier à ses fils, comme c'était le cas de l'artisan ou du paysan; dépourvu du patrimoine (la terre ou la petite entreprise), ce père est réduit au rôle de pourvoyeur. L'importance accordée à l'affectivité dans la famille moderne ne fera que renforcer la dyade maternelle et, par le fait même, affaiblir la dyade paternelle.

À plusieurs égards, la société industrielle impliquait donc une spécialisation accrue des sexes, liée non seulement aux sphères d'activité dévolues aux hommes et aux femmes mais aussi aux institutions qui allaient assurer l'insertion et le contrôle social de chacun des sexes et ainsi marquer fortement leur identité sociale. Dans un tel type de société, si l'*insertion au marché du travail salarié* est le point d'entrée primordial des *hommes* à la vie adulte et le référent majeur de leur identité sociale, l'*insertion matrimoniale* joue un rôle analogue auprès des *femmes* et occupe *une place centrale dans leur vie*. Quoi qu'on dise (et le rite du mariage catholique le confirme bien), il n'y a *pas de symétrie sexuelle face au mariage*, car l'institution régit bien davantage — et plus exclusivement — le destin des femmes.

Un dernier attribut qu'on reconnaît à la *vie matrimoniale* (et familiale) en société industrielle est son *caractère de plus en plus privé*. On invoque diverses «évidences» à l'appui d'une telle affirmation: le choix des conjoints relève moins des familles comme autrefois et davantage des intéressés eux-mêmes et de leurs inclinaisons amoureuses; d'ailleurs le sentiment amoureux devient peu à peu un élément tout à fait indispensable pour alimenter le lien conjugal; il se présente alors, selon l'expression de l'ethnologue Peter Rivière (1977: 157), comme «le fondement logique du mariage dans une société où règne une idéologie individualiste». L'affectivité est portée à l'avant-plan de la vie de chaque jour, au détriment des autres dimensions, instaurant ainsi la croyance que l'amour peut avoir raison de toutes les difficultés de la vie; ce thème de l'amour est le leitmotiv des chansonnettes, films, romans-savons diffusés par ces nouvelles institutions de la vie quotidienne que sont les médias de masse; enfin le «domicile conjugal», la «maison familiale» sont considérés comme les lieux par excellence de l'affectivité, comme des «refuges» et des «oasis» face aux agitations et aux turpitudes de la vie publique. Jusqu'à quel point la maisonnée est-elle toujours ce «havre de paix et d'harmonie»? L'amour romantique n'est-il pas, en partie, une idéologie? On sait maintenant, aujourd'hui, que le portrait a été idéalisé.

De cette rétrospective historique sur le mariage en société industrielle, il ressort trois postulats majeurs:

— dans le complexe familial et matrimonial de ce type de société, la séparation des sexes entre les sphères domestique et publique aurait été particulièrement accusée; *la dyade conjugale* y serait *sociologiquement plus faible* qu'en d'autres types de société, de même que la dyade paternelle; la dyade maternelle serait cependant particulièrement renforcée;

— même si les deux sexes demeurent concernés par le *mariage*, cette *institution serait tout à fait centrale dans la vie des femmes*, étant donné leur retrait de la production socialisée et leur affectation assez exclusive à la sphère domestique;

— la *privatisation graduelle du mariage*, comme de la vie familiale, est une *tendance historique réelle* de la société industrielle, observable d'abord chez la bourgeoisie, ensuite en milieu populaire; elle aurait été *cependant* largement *sur-estimée*; et les idéologies de l'amour romantique auraient presque fait *oublier que le mariage a conservé*, pendant cette période, beaucoup de *force comme institution*, ayant de *bonnes assises dans la sphère publique*, dans les instances juridiques et religieuses aussi bien qu'économiques, politiques et médiatiques.

Quand, dans la décennie 60 de notre siècle, surviennent en Occident certains *événements majeurs*, on peut dire qu'alors *commence publiquement la contestation des arrangements fondamentaux qui avaient caractérisé la vie familiale et matrimoniale de la société industrielle.* Dans les pays industriels avancés, on assiste donc alors à une libéralisation importante des moeurs et des lois, à une révolution contraceptive (par la mise en marché de la pilule anovulante), à une arrivée massive des femmes sur le marché du travail et enfin à une conscientisation marquée des jeunes et des femmes face aux pouvoirs qui les oppriment. Tout cela s'accomplit dans la foulée d'une mise en question des rapports de sexes et de générations qui se concrétise dans ces mouvements sociaux turbulents que sont la contestation étudiante, la contre-culture californienne et surtout le mouvement de libération des femmes. *La vie des jeunes et en particulier celle des femmes va dès lors changer.* Ces événements des années 60 sont donc à la fois des facteurs conjoncturels et des déclencheurs d'une transition qui s'amorce: les arrangements matrimoniaux (sinon familiaux?) de la société industrielle ont fait leur temps et, selon l'expression de l'historien du mariage, Jean Gaudemet (1987: 17), «un nouvel équilibre est recherché».

C'est donc un projet central de ce livre de démontrer que *le mariage* (et plus largement la conjugalité) *n'est pas qu'une affaire privée à cerner dans les rapports conjugaux de la maisonnée, mais aussi une institution qui,* encore de nos jours, *a de fortes assises dans la société et la sphère publique* (Smith, 1981). Parce qu'elles vont à l'encontre des idéologies courantes de l'amour romantique et de la liberté individuelle, les réalités sociales et publiques de la vie conjugale sont souvent maintenues dans l'ombre, difficiles à appréhender. Pourtant, elles sont là. Ainsi on verra que dans la société québécoise de 1960, le mariage est une institution qui apparaît largement respectée non seulement parce que l'Église et la loi assurent la régulation des normes matrimoniales mais aussi parce que des instances économiques, politiques et culturelles de la société supportent et renforcent des conditions données de vie matrimoniale: on peut dire qu'il y a alors non seulement une institution du mariage mais un véritable *système matrimonial,* qui s'impose de façon rigide aux individus, exerçant des contraintes en particulier sur les femmes. Pendant cette période de transition des années 1960 à 1985, le système matrimonial en place va devenir plus flexible et même subir une certaine désarticulation: il va s'imposer avec plus de tolérance aux individus et offrir d'autres possibilités de choix que celle de la vie maritale et de la vie religieuse. En raison de son impact particulier sur la population féminine, on ne s'étonnera pas que *cet essai sur l'évolution du mariage* dans la société québécoise du dernier quart de siècle *fasse une large place à l'histoire récente des femmes*: le mariage ayant été, en société industrielle, tout à fait central dans leur vie, il était inévitable que des transformations profondes de cette institution s'accompagnent surtout de changements dans les destins féminins, l'un et l'autre apparaissant ici tout à fait concomitants.

L'évolution des transformations matrimoniales au Québec entre 1960 et 1985 est présentée sous la forme d'un *essai sociohistorique*[4]. Essai, parce que cet ouvrage n'a la prétention ni d'être exhaustif, ni d'imposer des explications mais plutôt de les suggérer: face à un phénomène d'une telle ampleur et aussi proche dans le temps, on ne peut parler que d'observation participante et d'interprétation. Ce sont les aspects sociaux, soit économiques, politiques et culturels, qui ont surtout retenu mon attention; les dimensions subjectives et affectives de la conjugalité ne sont pas niées mais ne sont pas appréhendées dans cette étude, comme objet d'analyse. Enfin la dimension historique rejoint ce que Fernand Braudel (1958: 730, 750) nomme «le temps de la conjoncture», soit une période, relativement courte, de quelques décennies; c'est également, selon Braudel, le niveau approprié pour décrire «l'histoire des institutions», et repérer «une crise structurelle et sociale».

* * *

Le présent ouvrage a pour cadre la société québécoise[5]. La période couverte sera abordée en deux temps: 1) les années de changement *latent* de la décennie 1960 et 2) les années 1970-1985, qui voient apparaître un changement *manifeste* des comportements matrimoniaux. La coupure est fixée à 1970 à cause des événements sociétaux majeurs qui marquent le passage d'une décennie à l'autre: accès au mariage civil (1968) puis au divorce (1969), instauration d'un régime matrimonial légal plus égalitaire (Société d'acquêts en 1970) et implantation de programmes sociaux parmi les plus importants de l'État-providence (aide sociale et assurance-santé en 1970).

Pour chacune de ces périodes, la vie matrimoniale sera présentée *aussi bien dans le contexte de la sphère publique que de la sphère domestique* et cela, pour illustrer les interrelations constantes qui marquent cette double réalité.

Sera d'abord cernée l'évolution du *mariage dans la société*, soit celle de ses instances économiques, politiques et culturelles, à l'aide de sources documentaires diverses: des ouvrages d'économistes, démographes, sociologues, juristes et théologiens ont été consultés mais aussi d'autres textes tels des rapports gouvernementaux, des mémoires de groupes de pression, des articles de journalistes. Devant la pénurie d'études sur le mariage, il fallait se servir de tous les matériaux disponibles.

Le cadre privé du mariage n'a pas été négligé pour autant. Outre le rappel des données démographiques sur la nuptialité et les dissolutions matrimoniales, chacun des chapitres présente également *les rapports conjugaux dans la maisonnée*. Pour dresser ce portrait, ont été privilégiées les études et monographies des sociologues et ethnologues sur l'une ou l'autre facette de la vie conjugale: cette source documentaire sera désignée sous le terme «ethnosociographie» du mariage ou du couple. Chaque référence à une telle source précise le contexte de l'observation: date, lieu et population concernée. Car les changements ne se font pas au même rythme et ne sont pas identiques selon les milieux géographiques et sociaux. Malgré le caractère complexe et diffus de la transformation de la vie conjugale entre 1960 et 1985, on pourra tout de même dresser, en conclusion, un aperçu de l'évolution du système matrimonial, ainsi que des types d'unions et de désunions qui ont marqué la période couverte.

NOTES DE L'INTRODUCTION

1. Évelyne Lapierre-Adamcyk *et al.*, 1987: 31.

2. Pour un exposé plus élaboré sur ces questions, voir Renée B.-Dandurand, «Éléments pour une théorie du mariage en société industrielle et postindustrielle», article à paraître.

3. En réalité, bien des Québécoises ont longtemps conservé (emprunté au mode paysan de subsistance) des activités qui leur ont permis d'avoir un accès à certaines ressources: couture à domicile, culture de jardin potager et entretien d'un poulailler, mise en conserve, tissage, etc.

4. Cet essai est le résultat d'une réflexion de quelques années mais aussi d'un compagnonnage intellectuel avec certaines personnes de mon entourage: avec ma collaboratrice pour la recherche sur les *Mères sans alliance*, Lise Saint-Jean qui, en plus de remarques et discussions fécondes, a apporté une aide à la documentation de certaines questions abordées dans le présent ouvrage; également avec mes collègues Denise Lemieux et Marie-Marthe Brault, qui ont discuté et annoté mes textes. Je désire les remercier ainsi que ceux et celles qui ont commenté des versions antérieures de cet ouvrage, notamment Micheline Dumont, Pierre Dandurand et Évelyne Tardy. Je suis cependant seule responsable des erreurs qui ont pu se glisser dans cette analyse.

5. La société québécoise a été choisie comme cadre d'investigation plutôt que la société canadienne parce que le Québec est une société «distincte» non seulement par la langue et la culture mais aussi par l'enracinement historique et sociologique particulier qui est le sien: qu'on pense notamment au rôle de l'Église catholique, fondamental dans l'encadrement d'une institution comme le mariage. En outre, dans notre régime politique fédératif, le domaine des institutions matrimoniales et familiales relève du seul gouvernement provincial sous plusieurs aspects, notamment pour ce qui est du code civil et des politiques éducatives, sanitaires, sociales et familiales.

1

Des années de changements latents* 1960-1969

LA VIE MATRIMONIALE EN CHIFFRES

À l'aube des années 60, l'institution matrimoniale semble se porter tout à fait bien au Québec.

Depuis les années 20 et à l'instar des pays industrialisés, les indices de nuptialité s'avèrent élevés dans la province, avec un fléchissement pendant la Grande Crise mais une hausse marquée pendant les années 40 et quasi maintenue pendant les années 50 (Lapierre-Adamcyk et Peron, 1983: 30). Jamais on ne s'est autant marié, ni si jeune: c'est alors le destin de neuf célibataires sur dix avant l'âge de cinquante ans[1].

À l'encontre de la province voisine, l'Ontario, et des États-Unis à la frontière méridionale, les dissolutions matrimoniales[2] sont encore bien marginales au Québec et une large majorité des familles monoparentales sont formées à la suite du décès d'un parent et non après une rupture «volontaire» ou une naissance hors mariage[3]. Les taux de divorce sont donc très bas et à cet égard, le Québec est au dixième rang des provinces canadiennes.

---

* Version remaniée d'un article paru dans *Anthropologie et sociétés*, vol. 9, n° 3, 1985: 87-114, sous le titre de «Les dissolutions matrimoniales, un phénomène latent dans le Québec des années 60».

Faut-il attribuer ce «retard» à entrer dans la «modernité» familiale aux institutions religieuses et juridiques spécifiques à la société québécoise? Sans doute, en partie. On verra qu'outre la présence d'une Église catholique puissante, qui formule la morale familiale et matrimoniale et encadre de près la population, c'est un code civil vétuste qui gère les relations conjugales et parentales. On vient d'ailleurs tout juste de l'amender pour corriger le double standard quant à l'adultère des époux, seul motif admis pour causes de séparation ou divorce. En effet, avant 1954, pour qu'une conjointe obtienne une séparation légale ou un divorce pour motif d'adultère du conjoint, celui-ci devait avoir établi sa concubine sous le toit conjugal (Clio, 1982: 335). À l'inverse, il suffisait à un conjoint de présenter une preuve de l'adultère de son épouse pour obtenir séparation ou divorce[4]. La modification du double standard en matière d'adultère amène une certaine recrudescence des séparations mais le divorce demeure rare, puisqu'il est «le privilège d'une minorité, [exigeant] des démarches coûteuses et une décision du Parlement fédéral» (Clio, 1982: 428).

Avant la Révolution tranquille, la société québécoise sanctionne donc sévèrement les unions libres, les ruptures de mariage et surtout les naissances extra-matrimoniales[5]. L'enfermement des «filles-mères» de tous milieux pendant leur grossesse (M. Tremblay, 1966)[6], l'immunité quasi totale des pères de ces enfants (Massé *et al.*, 1981: 19) de même que l'abandon très fréquent des enfants «illégitimes» à l'adoption pendant les années 50 (*ibid.*)[7] sont des indicateurs assez éloquents de l'intolérance sociale qui régnait en matière matrimoniale ainsi que du contrôle de la sexualité (et du destin féminin) qui s'exerçait à travers l'institution du mariage.

Pendant la décennie 60, des indices de dissolution matrimoniale commencent à apparaître: on observe une faible augmentation du nombre de divorces jusqu'en 1969[8]; les naissances hors mariage sont en hausse mais de façon encore modérée si on compare ces tendances à celles des décennies qui suivront [de 3,6 à 8 % de l'ensemble des naissances vivantes entre 1960 et 1970[9]]. Ces changements se répercutent sur la structure matrimoniale des familles monoparentales. Parmi ces dernières, la proportion des veufs et veuves commence à décroître au profit des divorcés, séparés et parents célibataires: sous la montée des dissolutions matrimoniales, une nouvelle monoparentalité émerge, avec des responsables de famille qui sont plus souvent des femmes ayant de jeunes enfants. Dans les statistiques sur les familles monoparentales de la décennie 60, on voit la proportion des mères célibataires quintupler (de 1,7 à 9 %) et celle des divorcés, se multiplier par quatre (de 1,5 à 5,7 %)[10]. Quoiqu'encore minimes, ces pourcentages affichent le très net démarrage d'une tendance qui s'amplifiera après 1970.

Les données démographiques de la décennie laissent entrevoir d'autres changements, plus importants. Les couples ont moins d'enfants et les naissances passent de 136 116 en 1960 à 88 502 en 1970 (Messier, 1984: 174): sous l'effet de la révolution contraceptive, on peut dire que pour chaque femme fertile, le nombre d'enfants passe de 4 à 2 [l'indice synthétique de natalité passe de 3,86 en 1960 à 2,08 en 1970 (Messier, 1984: 173)]. Mais si un enfant sur douze est «illégitime» en fin de décennie, tous les enfants «légitimes» ne sont pas conçus dans le mariage: entre 1966 et 1971, 13 % des femmes se mariaient enceintes, contre seulement 3 % au début des années 50 (Henripin et al., 1981: 7). Pendant la décennie 1960, les règles du mariage chrétien à propos de la fécondité et de la sexualité vont être peu à peu transgressées.

Au-delà de ces données démographiques, que peut-on percevoir des transformations du mariage dans la société?

LE MARIAGE DANS LA SOCIÉTÉ

Pendant la décennie 60, des transformations sociétales majeures s'observent dans la société québécoise: c'est alors qu'apparaît une «Révolution tranquille» qui n'a pas marqué que la vie politique. Ces changements vont ébranler un système matrimonial bien en place, hérité d'une longue tradition. Diverses institutions et acteurs sociaux vont y contribuer dans les domaines économique, politique et culturel.

Les femmes mariées accèdent au marché du travail pour un maigre salaire d'appoint

Alors que seulement une femme mariée sur douze était sur le marché du travail en 1941, en 1961, près d'une salariée sur trois est mariée au Québec; en fin de décennie, ce sera le cas d'une travailleuse sur deux (Barry, 1977: 77). Il apparaît que travail hors du foyer et mariage sont moins exclusifs pour les femmes: elles sont de plus en plus nombreuses à revenir au travail une fois que les enfants sont adolescents mais elles quittent encore leur emploi au mariage ou dès qu'une grossesse s'annonce. Chose significative, on assiste à des grèves dans les «professions féminines»: les infirmières (par exemple à l'hôpital Sainte-Justine en 1963) et les institutrices (dans toute la province en 1967). Le message est clair: leur travail est un gagne-pain, pas une vocation marquée au sceau de l'altruisme.

La résistance est pourtant tenace à de tels développements du travail féminin. En 1964, Jean Marchand, alors président de la centrale des Syndicats Nationaux, formule la première déclaration explicite des centrales syndicales en faveur (si l'on peut dire!) de la reconnaissance du travail féminin:

> Nous ne sommes pas opposés au travail féminin et nous croyons d'ailleurs que notre opposition serait vaine devant la puissance des forces qui incitent les femmes à travailler (cité par Brodeur et al., 1982: 23).

Cette «puissance des forces qui incitent les femmes à travailler», ce sont bien sûr les sollicitations de la société de consommation; c'est aussi l'offre accrue de travail en provenance du secteur tertiaire, liée elle-même, en partie, à l'expansion des appareils scolaires et socio-sanitaires de l'État. Il est certain que le travail féminin est perçu comme une menace au plein-emploi des hommes[11], de même qu'une atteinte au modèle de masculinité tel qu'établi dans les rapports conjugaux, marqués eux-mêmes par la dépendance économique et la sujétion des femmes. Gérald Fortin (1967: 64) décèle bien cette résistance de la part des hommes: «Le travail de la femme soustrait celle-ci de l'autorité du mari, [la rend indépendante] en même temps qu'il le dépouille de sa preuve la plus importante de masculinité.» Ce qui n'est pas dit publiquement, c'est que le travail féminin représente aussi la menace de perdre le service domestique qu'assurent gratuitement les épouses.

Aussi à l'adresse des femmes mariées, l'idéologie est claire: le travail rémunéré n'est toléré que comme contrepoids à l'ennui dans les milieux aisés, comme appoint à celui du mari dans les milieux ouvriers (M.-J. Gagnon, 1974). Et l'allégeance première (sinon exclusive) que doivent les femmes à leur carrière matrimoniale et familiale est maintenue tout entière. Cette allégeance est justifiée tout autant par le caractère jugé indispensable de leur rôle de mères que par la persistance de l'offre de salaire dérisoire qu'on leur fait, sur le marché de l'emploi: à la fin des années 50, 11 % des épouses interrogées par l'équipe Tremblay et Fortin sont «actives» sur le marché de l'emploi mais leur salaire représente 2,2 % des revenus de ces mêmes familles (1964: 60 et 72). C'est un très maigre «salaire d'appoint», qui s'ajoute au «salaire familial» versé au mari-père depuis plusieurs décennies d'industrialisation.

La «révolution contraceptive» s'amorce mais le soin des enfants demeure la responsabilité des mères

En dépit de leur insertion au salariat, les femmes resteront donc fidèles au mariage mais les couples vont aspirer à une famille plus réduite de 2 ou 3 enfants (Lapierre-Adamcyk et Peron, 1983: 32). Avant 1960, la contraception s'exerce, sans être toujours efficace, surtout par la continence périodique: des couples catholiques fondent en 1955 Séréna, un service de régulation des naissances qui diffuse la méthode symptothermique. Les années 60 amènent la mise en marché de la pilule anovulante, rapidement adoptée malgré les interdits religieux: peu utilisée avant le premier enfant, elle est choisie par le tiers (1960-1965) et plus tard la moitié (1965-1970) des couples après le deuxième enfant (Lapierre-Adamcyk et Peron, 1983: 33). La diffusion des nouvelles pratiques contraceptives se fait notamment par l'Association pour le planning des naissances, fondée en 1964, qui présidera, quelques années plus tard, à l'implantation de Centres de Planning familial.

Faut-il rappeler qu'à l'époque, le Code criminel canadien interdisait non seulement l'avortement sous toutes ses formes mais encore toute publicité et vente de produits contraceptifs? Législation dépassée dans les moeurs pour ce qui est de la contraception, mais qui ne sera amendée qu'en 1969 avec l'application du célèbre bill Omnibus qui, en plus de permettre la vente libre de contraceptifs, ouvrira également la possibilité d'avortements à des fins thérapeutiques. Les couples pourront donc davantage ajuster leur progéniture à leurs aspirations. Rappelons qu'entre 1960 et 1970, l'indice synthétique de natalité passe de 3,86 à 2,08 (Messier, 1984: 173), soit grosso modo, de 4 à 2 enfants[12]: malgré cette baisse cependant, «les couples québécois formés entre 1966 et 1971 restent plus féconds que les Américains et probablement plus que ceux de tous les pays comparables» (Henripin *et al.*, 1981: 42).

Si les femmes ont un contrôle accru sur les risques de grossesse, le soin des enfants demeure entièrement sous leur responsabilité. Et pour les mères qui exercent une activité extra-domestique, il n'existe à l'époque aucun réseau organisé de garderies et chacune des mères au travail hors du foyer doit *elle-même* (c'est sa responsabilité dans le ménage) et *de façon privée* (car la société n'y veille pas) s'assurer les services d'un substitut maternel. C'est une transition qui sera difficile pour plusieurs. Dans un tel contexte on s'étonnera peu que, vivant en banlieue, les femmes interrogées par Colette Moreux en 1964 se soient dites opposées au travail féminin (Moreux, 1969).

La maturité juridique des femmes mariées et l'accès au divorce

C'est en 1964 que le législateur amende le Code civil de la province de Québec pour mettre fin à l'incapacité juridique des femmes mariées. Cette maturité juridique, qui sera dorénavant reconnue à toutes les femmes adultes, advient, pour les Québécoises, avec «près d'un siècle de retard sur leurs consoeurs canadiennes» (Clio, 1982: 428). Est donc abolie l'autorité maritale, qui justifiait le rapport de «subordination» des femmes à l'endroit du mari par la «protection» que ce dernier devait lui accorder (Guy, 1970: 203, 205). Les époux sont dits «partenaires» dans la direction morale et matérielle de la famille. Après 1970, le régime de la société d'acquêts (qui devient régime matrimonial légal) concrétisera davantage ces dispositions, complétant «l'émancipation juridique» par une «émancipation matérielle» des femmes, selon l'expression d'un juriste (Pineau, 1978: 8), ce qui est une locution nettement excessive si on considère la situation économique encore précaire de la plupart des femmes.

Si la puissance maritale est abolie, il n'en est pas ainsi de l'autorité paternelle. Subsiste donc cette «puissance paternelle», attribut que certains commentateurs (M. A. Tremblay, 1970: 88) mettent paradoxalement en parallèle avec «l'absence physique et psychologique du père que tous les spécialistes déplorent». Sur le plan juridique, dans la famille, est donc encore méconnu le rôle essentiel de la mère comme éducatrice et véritable «productrice» de l'enfant (Dandurand, 1981). Ce n'est qu'en 1977 que l'autorité paternelle sera remplacée par l'autorité parentale, notion majeure reprise dans la réforme du Code civil de 1980.

Comme amendement au Code civil, la maturité juridique des femmes mariées constitue l'amorce d'une série de changements qui vont toucher le droit matrimonial. Puis le législateur commence lentement à reconnaître indirectement les unions de fait: il le fait dans la Loi instituant le régime des rentes du Québec (1965) où, comme une épouse légitime, la compagne d'un cotisant est considérée comme conjoint survivant et est admise aux prestations; il le fait aussi dans la Loi de l'aide sociale (1969, dont il sera question au chapitre suivant), où les conjoints sont définis non seulement comme «l'homme et la femme qui sont mariés et cohabitent, (mais aussi) qui vivent ensemble maritalement»; enfin le législateur fait un pas de plus dans la Loi sur l'adoption (1969), où l'enfant dit «naturel» est partiellement libéré de l'ostracisme juridique auquel il était soumis, étant dorénavant

apte à recevoir par donation ou par testament le patrimoine de l'un et l'autre de ses parents. Bien plus, la nouvelle loi permet à une personne célibataire d'adopter un enfant [naturel] qui va donc acquérir une légitimité en dehors de tout mariage (Pineau, 1978: 9).

C'est une notion nouvelle appliquée à l'enfant dit «naturel», celle de «l'intérêt de l'enfant», qui intervient dans cette loi de l'adoption, et cette notion bouscule autant la vision juridique traditionnelle en matière matrimoniale[13] que la conception canonique très ancienne du mariage chrétien. La Loi (canadienne) sur le divorce va dans le sens de ces mêmes transformations.

C'est en 1968 que l'État canadien légifère pour permettre aux Québécois (et aux Terre-neuviens) d'avoir le même accès au divorce que les autres Canadiens, soit de disposer de cours provinciales de divorce: avant cette date, ceux qui voulaient divorcer devaient procéder par le moyen d'un bill privé au Parlement canadien ou d'une résolution au Sénat (Pineau, 1978: 127), le Code civil québécois n'admettant pas le divorce. La Loi sur le divorce de 1968 en élargit considérablement les motifs: outre l'adultère (seul motif autorisé avant 1968), sont admis les actes dits contre-nature [sodomie, bestialité, viol, acte(s) homosexuel(s)], la bigamie ainsi que la cruauté physique ou mentale. Ces motifs sont basés sur l'existence d'un délit ou d'une faute matrimoniale et justifient le «divorce-sanction» par opposition au «divorce-remède», dont le prononcé est lié à d'autres motifs: l'emprisonnement, l'alcoolisme ou la toxicomanie, l'absence ou l'abandon du foyer par l'un des époux, et enfin la séparation du couple depuis au moins trois ans. De plus, quelques dispositions sont prévues en ce qui concerne l'obligation alimentaire entre époux et envers les enfants, de même que pour la garde de ceux-ci. En cas de rupture conjugale (dans les années 60, il s'agit bien plus souvent de séparation que de divorce), les juges vont émettre des ordonnances de garde des enfants en faveur des mères, à la fois parce que les mères sont plus souvent le «conjoint innocent», à la fois parce que les juges s'en tiennent à la doctrine dite de «l'âge tendre», qui consiste à ne pas séparer les jeunes enfants de leur mère et cela, même si la loi stipule que le père «ne sera privé (de son autorité) que pour des raisons graves et pour le plus grand bien des enfants» (Code civil, rapporté par Pineau, 1978: 115). Les juges invitent alors les pères à continuer de remplir leurs obligations alimentaires envers leur ex-épouse et leurs enfants par le versement de pensions alimentaires et l'exercice de droits de visite. Cette mesure protectionniste est justifiée par la situation sociale des femmes mariées, comme mères et ménagères écartées du salariat et affectées aux tâches de maternage ainsi qu'à l'entretien du foyer et du mari. Dans les faits, les pensions alimentaires sont loin d'être toujours versées et le système judiciaire semble fort tolérant si l'on en juge par l'impunité dont paraissent jouir les pères: nous n'avons aucune étude qui en atteste pour les années 60, mais seulement des témoignages verbaux de mères seules et de travailleuses sociales.

L'Église:
une morale matrimoniale multiséculaire est contestée

Parallèlement au prononcé d'amendements juridiques qui amorcent la transformation du droit matrimonial, l'Église catholique, dispensatrice d'une morale conjugale et familiale formulée depuis des siècles, voit son influence s'affaiblir considérablement dans notre société.

Encore à la fin des années 50, c'est l'Église catholique qui est la principale régulatrice de la vie matrimoniale. Les normes du mariage chrétien inculquées aux jeunes époux par les «Cours de préparation au mariage» nous sont livrées par un écrit du temps:

> La fin primaire du mariage étant la procréation et l'éducation des enfants, sa fin seconde étant le perfectionnement des époux par l'expression conjugale de leur amour, [...] l'acte conjugal ne doit jamais être détourné artificiellement de sa fonction inséminatrice. [...] L'avortement [...] est un meurtre [ainsi que sont] immoraux les moyens qui s'interposent artificiellement entre l'acte conjugal et son rôle inséminateur (Père Joseph d'Anjou, s.j., 1959, cité par Carisse, 1974: 33).

Outre le fait que l'union est considérée indissoluble et la relation des époux, exclusive, on voit que le mariage chrétien, en prohibant les relations sexuelles hors mariage et en vouant les femmes à la maternité, associe en un même tout le contrôle de la sexualité, de la procréation et de l'éducation des enfants. De plus dans le rituel de mariage et dans la pastorale de l'Église, l'épouse est nettement soumise à son mari. Pendant les années 50, les cours de préparation au mariage ainsi que les regroupements de couples chrétiens transmettent donc toujours cette morale familiale de l'Église mais aussi adoptent une idéologie nouvelle: largement colportée par les médias, cette idéologie fait de la famille et du couple le lieu par excellence de l'épanouissement personnel, le lieu de l'amour, garanti par le dialogue des époux entre eux et des parents avec leurs enfants (Valois, 1968). C'est donc l'amour («l'amour à l'âge atomique», selon l'expression d'un prédicateur célèbre du temps) et non plus «le devoir» qui assure l'harmonie et la stabilité du couple et de la famille, l'amour qui devrait permettre de transcender les antagonismes des sexes et des générations.

Donc au début de la décennie 60, l'Église catholique diffuse encore un discours hégémonique sur le mariage et la famille et joue le rôle d'une institution pivot, aussi bien dans la vie familiale que matrimoniale: jusqu'en 1968 (Pineau, 1978: 8), elle sera seule officiante des rites de passage de la naissance, de l'alliance et de la mort et, à ces occasions, seule responsable de l'enregistrement de la population; rappelons également que pour s'insérer dans la vie domestique, dite privée, elle dispose de puissants instruments de persuasion: confession, prédication, messe hebdomadaire et tout un ensemble de pratiques religieuses prescrites.

La perte graduelle d'influence de l'Église catholique — qui survient alors que s'amorce une modernisation de la religion catholique avec Vatican II — sera marquée par la baisse de la pratique religieuse des fidèles ainsi que par la sécularisation qui s'amorce dans ses propres rangs (prêtres et congrégations religieuses). Elle est marquée également par le fait que lui échappe peu à peu le contrôle des services éducatifs et socio-sanitaires, désormais pris en charge par des technocrates et professionnels laïcs, qui formulent souvent des codes moraux alternatifs à ceux de l'Église: ce sont les juristes, médecins, psychologues, pédagogues, sociologues et travailleurs sociaux. Ces nouveaux experts, jouant les rôles de définisseurs de situation, confesseurs ou conseillers, prendront la relève de l'Église déclinante et seront les porteurs d'une culture désormais «laïcisée» (Fahmy-Eid et Laurin-Frenette, 1983: 359) et bien davantage individualiste.

La question épineuse du contrôle des naissances est certes l'un des enjeux quotidiens du déclin de la pratique religieuse. Les enseignements de l'Église sur la régulation des naissances seront de moins en moins suivis par les catholiques au Québec. Quand, après la publication de l'encyclique *Humanae Vitae* en 1968, un journal montréalais interroge ses lecteurs sur leurs pratiques contraceptives, une majorité de femmes s'empresse de répondre: et parmi ces répondants, seulement 12 % «se considèrent obligés en conscience» de se plier aux normes prescrites, à savoir, éviter toute contraception chimique ou mécanique (Clio, 1982: 464). Jusqu'à quel point les femmes ont-elles, dans cette décennie, joué un rôle important dans la désaffection des Québécois envers l'Église? C'est une question qui mériterait une attention approfondie[14]. Mais l'Église québécoise n'est pas entièrement monolithique et une aile progressiste s'exprime notamment à travers la revue *Maintenant*, publiée par des laïcs, sous l'égide des Dominicains. Le collectif Clio (1982: 424) rappelle la présence de cette revue dans les années 60:

> Contraception, rôles des femmes dans l'Église, transformation des religieuses, avortement, aucune question n'est tabou pour les rédacteurs de *Maintenant*. Mais les prises de position sont malaisées. L'esprit de libération cherche timidement sa place dans une orthodoxie chancelante.

C'est donc une Église catholique légèrement divisée (sinon entre clercs, du moins entre clercs et laïcs) et déjà «en perte de vitesse» qui témoignera, en 1966, devant le Comité mixte spécial du Sénat et de la Chambre des communes qui prépare une nouvelle législation canadienne sur le divorce. Elle y tient un discours neutre qui étonne fortement les responsables de la société civile et les Anglo-Canadiens, tant ce discours est loin des positions ultramontaines qui furent les siennes dans la seconde moitié du XIXe siècle et qui se perpétuèrent, de façon plus atténuée toutefois, jusque dans les années 60. Malgré le fait que la position de l'Église est toujours ferme et inchangée en ce qui touche à l'indissolubilité du mariage, les évêques catholiques déclarent donc, devant ce Comité sur le divorce:

> C'est au législateur qu'il appartient d'appliquer ses principes aux réalités souvent complexes de la vie sociale et politique, et d'en

orienter la mise en oeuvre dans le sens du bien commun. Il ne saurait simplement attendre que l'Église lui dicte sa conduite dans l'ordre politique (cité par McKie *et al.*, 1983: 61).

Aucune des grandes Églises canadiennes ne se sera opposée au projet de loi du divorce présenté à la Chambre des communes en 1967 et adopté en 1968. De moins en moins suivie par ses fidèles dans le domaine de la moralité sexuelle (contrôle des naissances, fidélité des époux) et même de l'indissolubilité du mariage, l'Église catholique québécoise fait à cette occasion une brèche dans une tradition établie depuis le XIXᵉ siècle: en s'abstenant d'intervenir sur la question du divorce, elle cesse d'exiger du pouvoir civil qu'il sanctionne ses propres règles en matière matrimoniale.

L'État-providence au secours des indigents mais pas de toutes les mères sans alliance[15]

Le Québec comme État et comme province canadienne avait déjà amorcé le développement de son volet État-providence. Cette expansion sera fortement accélérée après 1960, époque dite de la Révolution tranquille qui favorise l'accès aux postes politiques et technocratiques d'une «nouvelle classe moyenne» d'origine urbaine et porteuse d'idéologies modernistes (Guindon, 1971; Renaud, 1978). Ainsi seront favorisées l'expansion des programmes de sécurité sociale et l'étatisation d'un ensemble de services éducatifs, sanitaires et charitables, dont le fonctionnement était auparavant assumé par l'Église.

Au chapitre de la sécurité sociale, avant les années 60, un programme fédéral d'allocation familiale existait déjà, de même que différents régimes couvrant partiellement certains risques «sociaux» ou «privés», soit l'invalidité, le chômage[16], la retraite, le décès. L'État cherchait ainsi à pallier les besoins de ceux qui n'avaient pas d'emploi ou de ceux qui, invalides ou trop âgés, étaient dans l'impossibilité de travailler[17]. De plus, étant donné que la division sexuelle du travail dans la famille des sociétés industrielles était basée sur le modèle ménagère/pourvoyeur, l'État devait également prévoir le risque d'absence de pourvoyeur dans un ménage familial. La Loi de l'assistance aux mères nécessiteuses était destinée à couvrir ce «risque». Il convient de s'y arrêter, en raison de ses liens directs avec l'institution matrimoniale.

Instauré en 1937 par une loi provinciale, le programme d'assistance aux mères nécessiteuses venait en aide aux femmes «dans le besoin» qui avaient des enfants de moins de 16 ans. Il fut d'abord conçu pour les veuves et pour les femmes dont le mari était interné en asile psychiatrique. Par la suite, et à plusieurs reprises, ce programme fut amendé pour en permettre aussi l'accès aux mères dont le mari était prisonnier, invalide et, après 1957 seulement, déserteur du foyer. À partir de cette date, l'absence du mari devait avoir duré un an (et sa détention, six mois) pour qu'une femme puisse être acceptée au titre de mère nécessiteuse[18]. En 1964 seulement, ce délai fut ramené à trois mois. Bien plus, qu'elles aient été veuves ou séparées, de 1937 à 1969, ces femmes devaient offrir des «garanties raisonnables de bonne conduite» pour toucher leur prestation: à cet effet chacun des chèques mensuels devait être endossé par un notable du quartier ou de la municipalité où résidait la bénéficiaire[19]. De plus, tout officier de municipalité pouvait dénoncer (art. 8) les personnes qui lui apparaissaient enfreindre la loi.

L'assistance aux mères nécessiteuses qui, pendant la décennie 1960, a compté entre 15 à 20 000 bénéficiaires chaque année (A. Gauthier, 1983: 76), n'était donc pas accessible à *toutes* les mères sans alliance, mais seulement aux veuves et aux femmes séparées dont le mari était interné, prisonnier ou déserteur du foyer. Les autres mères seules ne pouvaient recevoir cette assistance: toutes les mères célibataires et celles, parmi les séparées ou divorcées, dont la rupture avait d'autres motifs que l'abandon du mari, soit l'adultère ou la violence conjugale par exemple. Les dissolutions matrimoniales volontaires n'étaient donc pas un «risque» que l'État estimait pouvoir alors couvrir entièrement. On conçoit qu'en fin de décennie, l'adoption de la Loi de l'aide sociale, accessible à toutes les mères sans alliance dans le besoin, lèvera considérablement la contrainte matrimoniale que constituait un secours aussi sélectif de l'État.

S'il couvre assez peu les risques matrimoniaux, l'État des années 60 continue d'offrir de nouveaux programmes de sécurité sociale: la province emboîte le pas aux réformes canadiennes[20] et adopte une Loi de l'assurance-hospitalisation (1960), une Loi des allocations familiales du Québec (1967) mais attendra 1969 pour reformuler son régime d'assistance publique et promulguer une Loi de l'aide sociale; seul le régime de rentes, instauré en 1965, devance les initiatives fédérales. On peut concevoir que toutes ces mesures, en assurant une certaine prise en charge des personnes âgées, malades ou handicapées, allègent non seulement les responsabilités des hommes salariés et «chefs de famille», mais aussi celles des femmes au foyer, à qui revenait la majeure partie du soin à ces personnes «improductives» et, forcément, dépendantes. L'impact de ces mesures sur les ménages a été peu étudié mais on peut penser que les rapports matrimoniaux (comme les rapports avec la parenté) en ont été affectés et ce, bien que les femmes aient continué d'assumer un grand nombre de services: démarches de placement, visites à l'hôpital, visites à domicile auprès d'une personne âgée, malade, etc.

La réforme de l'éducation brise les chasses gardées cléricales et masculines

Outre l'expansion des services socio-sanitaires et des programmes sociaux, la «Révolution tranquille» du Québec comporte une réforme de l'éducation, qui fit grand bruit à l'époque, notamment parce qu'elle portait très ouvertement un discours laïc et moderniste: selon cette réforme, le système traditionnel d'éducation, largement dominé par des pouvoirs cléricaux, était jugé vétuste et devait s'adapter à l'époque contemporaine, c'est-à-dire se tourner davantage vers la science et la technologie; le système scolaire devait également permettre à chacun, selon ses goûts et aptitudes, un accès à l'instruction à tous les niveaux. Bien qu'il ait été surtout conçu dans la perspective d'un meilleur accès des milieux populaires à l'éducation, ce mouvement de démocratisation ne pouvait exclure les filles, qui en furent sans doute les principales gagnantes.

En effet, on oublie souvent qu'avant 1960, le système scolaire était largement clivé selon le sexe: Micheline Dumont (1986) a bien établi que, pour ce qui est du niveau secondaire, le cours classique, très majoritairement ouvert aux clientèles masculines[21], fut longtemps la seule voie d'accès à l'université; elle a en outre démontré avec Nadia Fahmy-Eid (1986) que le système scolaire s'adressant aux filles était spécifique et conçu pour les préparer aux professions féminines (écoles normales, écoles d'infirmières) ou pour la carrière familiale et matrimoniale (écoles ménagères, cours Lettres-Sciences[22]); d'ailleurs en 1959, les collèges de filles ne constituaient encore que 18 % des clientèles du cours classique[23].

Avec la réforme de l'éducation des années 60, l'accès des filles aux mêmes études que les garçons fut un acquis tout à fait majeur pour elles. Parce qu'en plus d'être mixtes[24], les écoles secondaires et les collèges étaient désormais gratuits, dès la fin de la décennie, les filles furent nombreuses à prolonger leurs études au-delà du cours secondaire. Notons que, exactement à la même époque (1965-1970), on remarque une poussée des femmes mariées sur le marché du travail. S'agit-il d'une coïncidence? Ou peut-on penser qu'il y a là une concertation de générations, concoctée dans l'intimité des maisons? En effet, pour compenser le «manque à gagner» de ces filles qui auraient dû alors «rapporter» un salaire à la maison ou «se caser» dans le mariage, peut-on penser que des mères décidèrent en plus grand nombre d'aller travailler hors du foyer, afin que leurs filles «fassent des études»? Ce serait une hypothèse à explorer.

L'accès des filles à l'éducation supérieure (et dans tous les programmes d'étude) est une composante essentielle de leur qualification sur le marché du travail. Ces deux aspects, formation/travail, sont par ailleurs intimement liés au desserrement de la contrainte matrimoniale sur les femmes car ils permettent l'acquisition d'une certaine autonomie personnelle et financière.

L'émergence du Mouvement des femmes

On peut dater du milieu des années 60 le réveil collectif des femmes, dont les actions publiques en tant que femmes avaient été peu nombreuses depuis l'obtention du droit de vote en 1940. Culturel et politique, le mouvement s'amorce, pas seulement chez les élites mais dans plusieurs couches de la population féminine. En 1966, des organismes nouveaux sont fondés, qui réunissent des groupes existants, par exemple la Fédération des femmes du Québec (F.F.Q.); ou encore la vie associative des femmes s'oriente vers les intérêts publics: ainsi des associations de femmes au foyer se regroupent pour former l'Association des femmes pour l'éducation et l'action sociale (Afeas). Ces deux groupes seront les plus puissants du Mouvement des femmes au Québec, le premier ralliant jusqu'à 100 000 membres, le second, 35 000. Chacun exprimera une facette différente mais complémentaire de l'émancipation des femmes: alors que l'idéologie de l'égalité des sexes par l'accès des femmes au salariat sera portée par la F.F.Q., la valorisation (symbolique et financière) des activités de la vie domestique anime plusieurs démarches de l'Afeas. Mais toutes s'entendent sur la nécessité d'une participation active des femmes à la sphère publique. La création en 1967 (et après les États-Unis, la Suède et la France) de la Commission royale d'enquête sur la situation de la femme au Canada fournira un forum important à ces associations. Puis, avec la diffusion d'un nouveau féminisme, au tournant de la décennie 70 (Clio, 1982: 471-504), une aile plus radicale de femmes formera des groupes «autonomes», ainsi appelés pour marquer leur volonté d'indépendance face à tout parti ou organisme militant; elles se disent «radicales» dans leur idéologie et leurs luttes, dénonçant l'oppression que subissent les femmes dans les sociétés patriarcales. Ces groupes autonomes seront à l'origine de l'implantation d'un ensemble de services à l'intention des femmes (santé — viol — garderies — accouchement — avortement — violence). Outre ces groupes militants, radicaux ou réformistes, le mouvement s'étendra plus largement: ainsi dans diverses institutions (syndicats, ministères des gouvernements, organismes publics et parapublics tels Radio-Canada, l'Office national du film, les universités, les collèges, etc.) naîtront des comités de condition féminine, qui tenteront de défendre les intérêts des femmes dans leurs milieux de travail.

Le profil du Mouvement des femmes des années 70 se définira donc peu à peu autour de ces trois fonctions (voir Ouellette, 1986): groupes d'autoconscience, de pression et plus tard de services, qui permettent une réflexion des femmes sur leur situation comme entité sociale, qui véhiculent leur volonté politique jusqu'alors absente des principales institutions de la vie publique, et enfin qui assurent aux femmes, dans la sphère publique, des services que l'État ne leur offre pas. Cette volonté va s'affirmer autour d'enjeux très connexes à la vie matrimoniale: contrôle des naissances, socialisation des services domestiques et établissement d'institutions et de mesures favorisant l'autonomie économique et personnelle des femmes. Il en sera davantage question au chapitre suivant.

Les réseaux de communication de masse et les rôles sexuels: tradition et innovation

Les années 60 marquent, avec 89 % des foyers munis d'un téléviseur, l'aboutissement de l'invasion des réseaux de communication de masse dans la vie des ménages québécois (Caldwell et Czarnocki, 1977: 31, 32). On a peu étudié cette invasion, qui a sans doute perturbé la sphère domestique de façon tout à fait majeure: en plus d'occuper un temps de loisir désormais important dans la vie de chaque groupe d'âge, la télévision et la radio donnent un accès prodigieux à l'information et, en particulier, colportent tout un univers culturel d'ici et d'ailleurs, dont le contenu et la portée sont encore à étudier. Une analyse de téléromans québécois diffusés entre 1961 et 1970 indique que les rôles sexuels présentés à travers les personnages sont en général traditionnels et qu'en fin de décennie seulement apparaissent des personnages féminins conscients de leur exploitation ou vivant dans des situations impliquant des dissolutions matrimoniales volontaires. Les auteures Ross et Tardif (1980: 262) croient que, pour cette période du moins, les téléromans n'auraient pas exercé une influence novatrice mais qu'ils auraient eu «un effet de confirmation, de renforcement [des] valeurs et croyances déjà présentes». On peut faire l'hypothèse qu'à la télévision comme à la radio, les modèles novateurs sont plutôt transmis par certaines émissions d'information et d'animation diffusées à l'intention des femmes de classe moyenne: ainsi en serait-il de «Femme d'aujourd'hui», présenté quotidiennement sur les ondes du réseau français de Radio-Canada à partir de 1965 jusqu'en 1982.

C'est un double message analogue qui a été repéré par Colette Carisse et Joffre Dumazedier (1975: 236) dans une analyse des médias écrits à l'intention des femmes. Deux modèles de féminité s'en dégagent: l'un traditionnel, à l'intention des milieux populaires, l'autre considéré plus «novateur», qui s'adresse au «milieu plus instruit».

LES RAPPORTS CONJUGAUX DANS LA MAISONNÉE

Dans la foulée d'une Révolution tranquille qui a surtout marqué les institutions politiques et culturelles, la décennie 60 voit poindre des changements dans la vie des femmes, qui n'ont pas encore un impact très fort sur la vie matrimoniale, si l'on se fie aux statistiques officielles. Est-ce à dire que dans la maisonnée, les rapports conjugaux sont aussi stables et harmonieux que le laissent soupçonner les taux élevés de nuptialité et la très basse fréquence des divorces?

Les données monographiques recueillies par les sociologues et les ethnologues sur la vie matrimoniale des années 60 sont relativement riches, car il y avait alors beaucoup d'intérêt pour ce champ d'étude. En ville ou à la campagne, chez les manoeuvres, les agriculteurs, les ouvriers ou la classe moyenne, les rapports conjugaux observés réfèrent en général au modèle dominant de conjugalité en société industrielle, celui de la ménagère et du pourvoyeur. L'intolérance sociale qui entoure les dissolutions matrimoniales laisse voir le contrôle diffus qu'exerce la communauté ambiante sur les vies personnelles de même que l'influence encore bien présente de l'Église.

Dequen: agriculture et prolétariat rural

En milieu rural, pendant les années 60, les dissolutions matrimoniales semblent extrêmement rares. C'est en 1968 et 1969 que, par observation participante et autres méthodes de terrain en ethnographie, Michel Verdon recueille son matériel sur la vie d'un village du Lac-Saint-Jean, qui se caractérise par l'affectation de ses habitants, soit à la petite exploitation agricole, soit au travail salarié, surtout forestier[25]. Dans la monographie consacrée à Dequen, Verdon (1973: 104) note:

> Jamais aucun divorce n'a eu lieu; dans les deux cas de séparation, l'un était le fait d'un individu très marginal, braconnier et alcoolique; le second était le fait d'une personne aux facultés mentales affaiblies.

La seule «entorse» aux règles du mariage énoncées par la morale catholique consiste en la présence (fréquemment observée en d'autres milieux paysans) d'un certain nombre de conceptions hors mariage quand les «fiançailles» ou promesses de mariage auront été échangées: les futurs conjoints auront quelquefois des «relations sexuelles complètes». «Les fiançailles apportent une assurance que le mariage sera célébré. C'est à cette condition que les jeunes filles perdent leur retenue» (1973: 84). Verdon ne relève aucun cas de maternité célibataire et les conceptions prémaritales observées ne sont pas estimées en nombre.

Donc à Dequen, fin des années 60, selon toutes apparences, peu d'écarts aux normes matrimoniales. Mais les rapports entre les sexes ne sont pas pour autant d'une grande harmonie. S'il y a «modèle unique de mariage», Verdon observe «une double sexualité» (p. 104) ainsi qu'une ségrégation des sexes au sein des «mondes masculin et féminin», le premier rattaché à la vie publique, le second à la vie privée: ségrégation des sexes, sphères séparées d'activités et même relations antagonistes, qui sont illustrées pour l'ensemble des cycles de vie de l'individu: enfance, jeunesse, vie adulte. La seule trêve dans cet antagonisme des sexes est la période de fréquentation. Alors, «les deux parties se détachent des extrêmes inconciliables où les avaient campés leur socialisation» (p. 113). «[…] Ils se montrent sous leur meilleur jour [dit-on, car ils veulent] se gagner» (p. 114). Mais une fois mariés, «la vie conjugale ne fait que marquer le retour, dûment institutionnalisé, aux clivages et aux tâches transmises par la socialisation» (p. 114).

En effet, la division sexuelle du travail est marquée. N'ayant pas, comme les Québécoises de milieu urbain, la possibilité d'accéder au marché du travail rémunéré[26], les femmes ont un rôle traditionnel au sein de la sphère domestique: charge de la maisonnée, du soin et de l'éducation des enfants aussi bien dans les foyers des salariés que dans ceux des agriculteurs; mais chez ces derniers, elles participent encore à certains travaux de la ferme, la séparation des sexes est donc moins marquée.

Au chapitre de l'autorité domestique, si le père est la figure dominante, ce n'est pas une autorité absolue. Par exemple, quand elles sont plus instruites que leur mari, les femmes gèrent le budget familial, qui demeure toutefois «sanctionné» par lui (p. 117). Si par contre elles sont moins instruites ou le sont autant que leur mari, celui-ci gère «tout sans consultation, ne donnant à [son] épouse que quelques deniers» pour les besoins hebdomadaires du ménage et encore, «de façon souvent mesquine» (p. 117). «La somme étant souvent inadéquate», ajoute Verdon, «la conjointe devra faire des prodiges d'économie» (p. 118).

Malgré les homologies que présente la division sexuelle du travail dans «le monde agricole» et le «monde ouvrier», Verdon indique les conditions objectives qui les distinguent et même les opposent: chez les travailleurs forestiers, la condition de salarié des hommes, les absences prolongées qu'implique la localisation des chantiers loin du village, les réseaux de sociabilité masculine que ces conditions de travail contribuent à développer et qui, au retour au village, entrent en contradiction avec les sociabilités familiales, et enfin les attentes des épouses isolées à la maison [«aller à l'hôtel avant même de revenir à la maison» (p. 120)]. Ce sont là des éléments qui font naître «des dissensions et font [...] germer une agressivité mutuelle» (p. 120). Après la naissance des enfants, le fossé s'élargit entre les familles du «monde agricole» et celles du «monde ouvrier». C'est que l'enfant n'y a pas le même sens: main-d'oeuvre potentielle ou effective chez l'un, «nouvelle bouche à nourrir» (p. 122) chez l'autre. Le journalier voit son rôle dans la maison se réduire à celui d'un «distributeur d'argent et de punitions» (p. 122). C'est alors, selon Verdon, qu'il «cherche à fuir, à oublier les responsabilités que son maigre salaire aggrave, et [finit] par s'enivrer avec ses amis». De son côté, la femme «développe à l'égard du mari une agressivité croissante. Elle est seule, son mari ne la 'sort' plus». Elle se laisse aller à une «totale négligence vestimentaire[27]» et «le soir, l'homme rejoint ses pairs au restaurant». Enfin, «l'un et l'autre expriment souvent leur regret de s'être mariés» (p. 122 et 123).

On voit comment, à la fin des années 60 chez certains salariés de Dequen, la dissolution matrimoniale est *latente*, contenue par le contrôle social qu'exerce la communauté villageoise et par l'absence d'alternative pour les femmes. En effet, dans ces communautés rurales, les possibilités de subsistance d'une jeune famille sans père sont pratiquement inexistantes: car il n'est pas question que les femmes abandonnent leurs enfants et elles ne peuvent trouver, non plus, d'emploi salarié qui assure la subsistance familiale. Verdon le laisse entendre quand il écrit: «À vrai dire, la femme s'y résigne car elle n'a aucune alternative» (p. 121). Cette absence d'alternative au choix du mariage constitue l'essentiel de la contrainte matrimoniale.

On doit donc constater qu'à Dequen, en dépit de quelques entorses à la fidélité conjugale, au pourvoi du mari ou à l'interdiction de relations sexuelles prémaritales, les dissolutions matrimoniales ne sont que latentes et le mariage est toujours du type traditionnel.

Saint-Augustin: population isolée et assistée

Dans une petite communauté plus isolée de la Basse Côte Nord, vivant de pêche et surtout d'assistance-chômage, Tremblay, Charest et Breton rapportent en 1965 une situation matrimoniale assez analogue à celle observée à Dequen, à l'exception d'une sexualité prémaritale apparemment plus active. En effet, si «la séparation et le divorce sont des types de rupture fortement désavoués» (1969: 111), la «presque totalité des mariages sont ‹des mariages forcés', [...] [dont] personne ne se scandalise outre mesure car les relations sexuelles prémaritales sont généralisées» (p. 110). Les auteurs (1969: 110) ajoutent: «tout ce que l'opinion publique demande, c'est que le garçon épouse la fille qu'il a fécondée: le refus de le faire est condamné socialement».

Donc à Saint-Augustin, à l'exception de la sexualité prénuptiale, le mariage est une institution qui contrôle bien la vie des couples. Ces derniers n'exercent pas de contraception et la division sexuelle du travail diffère peu de celle observée à Dequen (Verdon, 1973) ou à Boisvert (Allard, 1967): c'est le modèle pourvoyeur/ménagère pendant une partie de l'année; le reste du temps, c'est ce qu'on pourrait appeler le modèle de la famille assistée.

Même si les auteurs ne la qualifient pas explicitement comme telle, l'autorité domestique est patriarcale à Saint-Augustin. Mais «avec l'âge et l'arrivée des enfants, la femme acquiert de plus en plus d'autorité et en vient parfois à diriger le foyer» (p. 111). L'insistance que mettent les auteurs à noter ce matriarcat est cependant pondérée par le fait, noté plus loin, que «ces familles matriarcales sont encore la minorité» (p. 119). Dans ces cas, «les maris dominés sont la cible de l'ironie publique» (p. 118). D'autre part la violence domestique paraît visible: en dépit du silence qui entoure ces manifestations, les auteurs conviennent connaître «au moins un cas où le mari bat sa femme» (p. 119).

Centre-Sud de Montréal: sous-prolétariat urbain

Les indices de problèmes matrimoniaux sont manifestes dans la famille sous-prolétarienne du quartier Centre-Sud de Montréal observée par Marie Letellier en 1968. L'étude, menée par observation participante auprès d'un ménage familial, s'inscrit dans la foulée des écrits d'Oscar Lewis sur des familles mexicaines et portoricaines et s'articule autour du concept de culture de la pauvreté. Ici, le matériel recueilli procède d'une microapproche; mais il est probablement significatif de la vie familiale des couches sous-prolétariennes des années 60 et sans doute des décennies précédentes.

La famille Bouchard, Ti-Noir, Monique et leurs enfants, sont au centre de cette monographie. Travailleur occasionnel, Ti-Noir n'est «pas un salarié, un chômeur ou un assisté social, mais c'est quelqu'un qui fait des 'jobines' de réparation, qui fait les poubelles avant les vidangeurs» (1971: 19). Monique, sa femme, se définit comme ménagère et, depuis son mariage, n'a travaillé à l'extérieur du foyer qu'une demi-année, au moment de l'hospitalisation de son mari. Elle attend de celui-ci qu'il pourvoie aux besoins de la famille, qui compte quatre enfants, et dont le premier est le fruit d'une conception prénuptiale. À ce point de vue, le couple Bouchard n'est pas atypique: selon une étude menée en 1969 et 1970 en milieu urbain défavorisé, de 43 à 48 % des couples interrogés avaient eu des relations sexuelles prénuptiales et une femme sur trois s'était mariée enceinte (Cournoyer et Gourgues, 1977: 46, 48).

Les disputes et ruptures du couple Bouchard occupent quatre des vingt chapitres de l'ouvrage de Letellier. La «première crise de ménage» (p. 51) a été provoquée par l'adultère de Ti-Noir ainsi que par l'insuffisance des sommes qu'il affectait à la subsistance familiale. Autour de cette crise, le récit de Monique met bien en évidence comment les couches sous-prolétariennes urbaines étaient, à la fin de la décennie 1960, déjà encadrées non par l'Église mais par les appareils socio-sanitaires et juridiques de l'État; en outre il décrit bien les sanctions (condamnation du mari pour refus de pourvoir) qui étaient appliquées à l'époque contre certains mauvais pourvoyeurs:

> Ti-Noir, y était cassé pis y m'donnait p'us une cenne. Y avait pas d'job. Mais y a pas voulu aller au Social. Moé, ch'us allée [...] Le gars du Social, y a averti Ti-Noir [...] y a dit [à Monique]: «si vot'mari continue de pas vouloir vous donner d'argent pis de vous faire du trouble, nous aut' on va l'amener en Cour pour refus de pourvoir» (Letellier 1971: 53).

Le couple se réconciliera. Les derniers chapitres du livre portent sur la «seconde chicane de ménage», qui incite Monique à demander la séparation légale. Ces péripéties sont ponctuées d'excès de consommation d'alcool, de disputes, de crises de jalousie, d'absences du mari du domicile conjugal, de quelques infidélités des époux, de l'intervention du service social, comme des instances juridiques (voir aux chapitres 18 et 19, les conversations de chaque époux avec le juge). Y a-t-il de la violence dans cette famille? Marie Letellier n'en parle pas mais laisse entendre qu'elle a cours dans d'autres familles du quartier (p. 195), notamment dans la parenté de Ti-Noir, qui compte des unions consensuelles et même multiples (p. 195). L'auteure signale aussi des cas de mères sans alliance dans la parenté des Bouchard et «plusieurs familles sont brisées, pas seulement par l'homme cependant» (p. 195).

Saint-Pierre: classes moyenne, ouvrière et frange agricole en banlieue de Montréal

Le portrait qui émerge de l'étude de Colette Moreux (1969) sur une banlieue montréalaise révèle des dissolutions matrimoniales, mais qui sont plus latentes qu'à Centre-Sud: en interrogeant des femmes mariées, la vie domestique est abordée sous un angle plus approfondi qu'à Dequen et Saint-Augustin pour ce qui est des relations matrimoniales et surtout du contrôle des naissances. L'observation est faite en 1964 dans une ville-dortoir qui n'a pas encore perdu ses caractéristiques de village: c'est pourquoi on y trouve à la fois des agriculteurs et des manoeuvres[28], à la fois des ouvriers, employés, cadres et professionnels[28]. Cependant les données ne sont pas ventilées selon le milieu d'origine.

C'est le long chapitre que Moreux consacre à la «morale familiale et sexuelle de la femme» qui nous livre des informations sur la vie matrimoniale à Saint-Pierre en 1964. Parmi les quatre-vingt-dix informatrices interrogées, quelques-unes seulement présentent une instabilité conjugale: quatre informatrices sont séparées légalement. Moreux (1969: 393) explique:

[La séparation] n'intervient qu'en des cas très rares, après des années de martyre au cours desquelles les conjoints ont progressivement perdu toutes les formes de sociabilité de leur groupe et sont le plus souvent acculés à un état de marginalité inversement proportionnel à la cohésion du groupe parental étendu.

Moreux laisse entendre ici que le contrôle social est tel, pour ce qui touche les dissolutions volontaires, que les femmes n'ont recours à la séparation qu'en dernière instance après avoir vécu «le martyre» dans le cadre domestique. Cette observation de Moreux rejoint bien les paroles que prête le romancier Gérard Bessette au personnage de Rose Bouthillier, la logeuse du *Libraire*:

> Quand j'ai dû me séparer de mon mari parce que c'était vraiment intenable — un saligaud de la sorte! — ne pensez pas que ça toujours été rose. Si vous aviez entendu les papotages! [...] Tellement que, croyez-le ou non, j'avais presque peur de me montrer dans la rue [...] On me dévisageait avec un air! [...] Je n'en savais plus où me mettre [...] (1968: 117).

Plus loin, c'est le narrateur qui poursuit:

> Quand il s'agissait d'une pauvre femme comme elle, Rose, contrainte à une séparation de corps par un mari «au-dessus de tout», alors les mauvaises langues allaient leur train. [...] C'est pourquoi, de guerre lasse, Mme Bouthillier avait dû finalement aller voir le curé. Ça n'avait pas tout arrangé, bien sûr, mais c'était maintenant supportable. Elle ne manquait jamais depuis lors les exercices religieux. C'était là un gage de tranquillité relative (1968: 121, 122).

On comprend mieux dans ce contexte la marginalité que vivent les séparés et divorcés de l'époque, du moins dans les petites villes au Québec. Si seulement quatre informatrices sur quatre-vingt-dix ont rompu leur mariage, Moreux (1969: 391, 392) compte par ailleurs «vingt cas nets» de couples désunis qui vivent néanmoins sous le même toit. Elle commente ces échecs: «[C'est un] état dysharmonique, [qui] n'est pas expliqué, [auquel] on ne cherche pas à échapper [qui] ne soulève pas d'animosité».

Dans son étude de 52 familles ouvrières de la ville de Québec, Jocelyne Valois (1968: 66) note aussi, sans les expliciter cependant, des problèmes de communication chez 37 des couples observés. Ainsi dix-sept d'entre eux présentent un mode de «communication latente»: devant «plusieurs difficultés conjugales [... et] parfois des crises sérieuses», ces couples (et surtout les épouses) s'emploient à chercher des solutions. Une vingtaine d'autres couples, malgré les problèmes conjugaux, affichent une «absence de communication» et ne cherchent pas à changer leur mode de relation ni à se séparer, semble-t-il.

Donc si les ruptures de couples sont aussi peu admises à Québec qu'à Saint-Pierre, il n'en est pas autrement des naissances hors mariage qui sont, ou bien sévèrement sanctionnées, ou bien carrément cachées. Moreux (1969: 369) croit qu'à l'époque, «il n'est guerre pensable qu'une fille-mère puisse garder son enfant». Elle ajoute qu'ayant interrogé ses 90 informatrices sur la question, une seule d'entre elles répond par l'affirmative: oui, elle garderait l'enfant de sa fille si cette dernière devenait enceinte mais alors la famille devrait sans doute déménager dans une grande ville[29].

Ouvrons une parenthèse pour commenter cette donnée, qui paraît si éloignée de notre sensibilité actuelle. Y avait-il des mères célibataires, à l'époque, à Saint-Pierre et quel sort leur était réservé? En 1965, parmi les cas rapportés aux services sociaux de Montréal, 39 % des mères célibataires gardent leur enfant après la naissance (Massé et al., 1981: 20). Qui sont ces mères qui ne «donnent» pas leur enfant à l'adoption? Proviennent-elles de milieux moins touchés que Saint-Pierre ou Dequen par l'intolérance sociale, par exemple des quartiers populaires urbains (voir pour Centre-Sud, Letellier 1971 et Sévigny 1979)? Ou bien doit-on penser que, hors des milieux populaires urbains, quand leur grossesse était connue, les «filles-mères» (comme on les appelait à l'époque) étaient déportées, confiées à des maisons d'accueil (M. Tremblay, 1964), reléguées chez des parents à la campagne ou même dirigées vers des lieux d'avortement clandestin? Toutes ces hypothèses sont plausibles. On peut poser la question autrement et se demander comment des mères célibataires pouvaient élever elles-mêmes leur enfant, n'ayant pas toujours le soutien de leur famille, dépourvues aussi bien de services de garde pour aller travailler hors du foyer que de l'assistance de l'État (les prestations de mères nécessiteuses ne leur étaient pas accessibles). Il est donc raisonnable de penser que la plupart de ces mères «donnaient» leur enfant à l'adoption ou en venaient probablement à se marier, faisant accepter l'enfant par le conjoint.

La maternité célibataire étant très sévèrement sanctionnée, la virginité prénuptiale est donc considérée à Saint-Pierre comme une «vertu» essentielle et sa dérogation signifie encore «le Péché par excellence» (Moreux, 1969: 365). Dans les faits, cette norme aurait été observée par la quasi-totalité des informatrices de Saint-Pierre. Il n'en était pas de même pour les hommes et ici, le double standard est manifeste:

> Comme les relations sexuelles avant le mariage, celles qui peuvent avoir lieu en dehors de lui sont considérées comme essentiellement le fait du mâle. L'opinion publique veut qu'elles soient assez courantes à Saint-Pierre (Moreux, 1969: 387).

En effet, si seulement trois informatrices ont entretenu des relations adultères et si «la femme adultère est un objet de scandale, unanimement», face à l'adultère masculin, les femmes semblent afficher une attitude de compréhension [c'est une «faiblesse physique», bien excusable, passagère (Moreux, 1969: 387, 388)] ou d'indifférence: «Je m'en fous, il va, il vient; moi ça ne me fait rien si les enfants n'en souffrent pas. Je vous assure que s'il partait, il faudrait qu'il me donne une bonne pension» (p. 388). Elles sont 15 sur 90 (Moreux, 1969: 388)

> à avouer[30], de façon presque naturelle, qu'elles sont trompées, surtout parmi les plus âgées et chez les représentantes de l'ancienne population [...] [Ceci] montre qu'effectivement l'adultère masculin «n'est pas un obstacle à la vie conjugale», [...] et que «ça n'est pas cela qui démolit un ménage».

Comment s'explique l'attitude d'indifférence ou de «compréhension» que manifestent les femmes face à l'adultère masculin? La réponse de Moreux (1969: 389) surprend; elle sera commentée plus loin: «Le droit à l'adultère pourrait être considéré comme un compensation reconnue à l'homme par la femme en échange de la royauté qu'elle exerce dans la maison.»

Contrairement à leurs maris, la majorité des informatrices de Saint-Pierre se conforment donc aux règles de la virginité prénuptiale et de la fidélité conjugale. Il en est autrement de la fécondité (Moreux, 1969: 376-379): quoiqu'elles soient presque toutes mères, ces femmes contestent largement les normes religieuses qui leur imposent un risque permanent de grossesse, ou bien la fécondité dite «naturelle», ou bien la contraception inefficace par continence périodique. Ainsi même si elles se marient «d'abord pour avoir de la famille», rejoignant dans ce désir la finalité première qu'assigne l'Église catholique au mariage, «sous cette unanimité, se cachent des réticences» et «pour les personnes [...] jeunes et d'âge intermédiaire, le nombre des enfants souhaités est respectivement de 3,6 et de 3,7 en moyenne»[31]. La position ferme de l'Église sur le contrôle des naissances soulève chez elles «le plus grave des problèmes religieux et familiaux qu'elles aient à résoudre». Aussi une majorité d'informatrices (51 sur 90) «transgressent les prescriptions religieuses» en la matière et certaines doivent se résoudre «à une rupture complète avec l'Église jusqu'à la ménopause» afin d'espacer les naissances ou de mettre un terme à leurs maternités. Comme la tendance le laisse voir dans le reste du Québec (Henripin et al., 1981: 11), les femmes de Saint-Pierre adoptent, au milieu des années 60 les moyens plus efficaces de la contraception mécanique et chimique. C'est ainsi que les Québécoises (car il s'agit bien d'initiatives féminines) contrôleront davantage leurs maternités pendant cette décennie.

On voit donc qu'à Saint-Pierre, plus explicitement qu'à Dequen, la dissolution matrimoniale, en particulier l'instabilité conjugale, est à la fois *marginale et latente*: bien des couples désunis sont toujours en ménage sous le même toit. Les rapports de sexe dans la sphère domestique (division sexuelle du travail, et autorité domestique), demeurent cependant conformes aux modèles traditionnels.

La division du travail apparaît encore fort ségrégée selon les sphères masculine et féminine. Les femmes sont quasi exclusivement épouses et mères, très rarement travailleuses rémunérées. Les pères et époux sont, quant à eux, les «pourvoyeurs d'argent» de la famille, ils sont «exclus», d'après Moreux (p. 390), de l'éducation des enfants et leur «réaction la plus courante [...] est la fuite devant leur responsabilité de père et époux» (p. 383). Ce désintérêt des pères à l'endroit des enfants se traduit en la «mésentente», l'«hostilité» et même la «brutalité» (p. 384, 385) à leur endroit. La dyade paternelle s'en trouve largement appauvrie:

Aussi les mâles, coupés avec plus ou moins de diplomatie des fonctions essentielles de la vie familiale, vont-ils se refermer sur eux-mêmes et chercher à l'extérieur les exutoires ordinaires: tavernes, confidentes ou travail (p. 390).

C'est donc une sorte de *dépaternité*[32] qu'observe Moreux. Elle est aussi implicite dans les familles à structure matricentrique observées par Gagnon (1967) ainsi que dans l'étude de la Jeunesse étudiante catholique menée au début des années 1960 (Carisse, 1974: 114-117), et qui décrit le père comme «le grand absent du foyer» (voir aussi Tremblay, 1970: 88).

Selon Moreux (1969: 386, 390) toujours, l'autorité des femmes serait quasi incontestée dans la sphère domestique: elles semblent exercer une «possession sans partage de la maison», elles «tiennent la bourse, achètent les maisons, décident de tout». Elles seraient donc véritablement les «reines du foyer»: d'où l'expression de «néo-matriarcat manifeste» employée par l'auteure pour qualifier la gouverne de la maisonnée.

Montréal et Québec: des ménages ouvriers

Ce portrait des rapports conjugaux à Saint-Pierre ressemble à plusieurs égards à celui qu'avait dressé Nicole Gagnon de la famille ouvrière montréalaise au début des années 60. Sur un total de 72 familles ouvrières «à forte stabilité occupationnelle» (1964: 2), Gagnon en trouvera une majorité (38 familles) à structure dite matriarcale ou matricentrique (1967: 60); le mari, gagne-pain désigné, n'a pas de rôle domestique précis mais «un statut de pensionnaire dans la maison» (1964: 17); c'est la femme qui gère les finances (1964: 16)[33], la marche de la maison, l'éducation des enfants. Quelques familles présentent une structure patriarcale (4 familles), d'autres offrent le modèle du compagnonnage (11 familles), avec une autorité plus conjointe des époux, et les autres sont jugées «intermédiaires» (19 familles) (1967: 60).

Jocelyne Valois, qui livre des données recueillies entre 1956 et 1966 dans des familles ouvrières de Québec est moins affirmative que Gagnon et Moreux. Elle note (1968: 101), chez les 14 couples (sur 52) qui révèlent avoir une communication conjugale «effective», «une certaine dominance de la mère sur les plans de l'autorité et de l'affectivité. Mais mal à l'aise dans une telle situation, la femme tente bientôt d'associer son mari à la tâche». Elle ajoute plus loin (p. 104): «Il semble que le budget administré par la femme soit l'indice non pas d'un matriarcat, mais d'une structure [familiale] complémentaire où la compréhension fonde l'autonomie de la femme.»

Moreux et Gagnon (dont les terrains datent de la première moitié des années 60) ne sont pas les premières à présenter les mères comme investies de l'autorité domestique. Dans son étude de Sainte-Julienne de Dorchester, menée dans les années 50 auprès de familles vivant surtout du travail forestier, Gérald Fortin (1971: 116) avait souligné combien la condition de salariés des hommes avait eu pour effet de réduire le rôle paternel à celui de «procréateur et de nourricier» et de consacrer la place centrale de la mère, qui avait déjà une «autorité sur le plan moral et intellectuel» (voir également Rocher, 1964). Enfin, on a vu que Tremblay *et al.* (1969) utilisent le terme de matriarcat, même s'il s'applique à une minorité de familles.

Il faut discuter de ce matriarcat, qui a été mis en doute (voir notamment Lavigne et Pinard, 1983: 54, 55) et qui semble contredit par des études antérieures (Garigue, 1962) et postérieures (Lamarche, Rioux et Sévigny, 1973) en milieu urbain de toutes classes. Il faut surtout *le qualifier* et en circonscrire les limites.

La question du matriarcat

Soulignons d'abord une évidence: le matriarcat décrit par Moreux ou Gagnon est *domestique*, ce qui, dans une société complexe est loin de conférer le pouvoir social aux femmes comme le terme anthropologique du matriarcat le sous-entend[34].

En second lieu, *s'il y a leadership* de la mère, ce ne serait *pas dans tous les milieux ni à tous les points de vue.* Dans son étude portant sur l'enfance dans la société et le roman québécois (1979), Denise Lemieux présente une position nuancée sur la question. Sans nier que pour les hommes, la disparition du patrimoine et des tâches de socialisation des fils représentent en même temps la disparition d'attributs majeurs de l'autorité patriarcale, Lemieux rappelle d'abord que «l'importance de la femme n'est pas la même dans toutes les classes sociales» (1979: 482).

> Les études sociologiques parleront [...] de matricentrisme ou de néo-matriarcat pour désigner le type de famille qui semble s'affirmer en milieu québécois urbain, avec plus de force cependant *dans les familles ouvrières* (1979: 483) [l'italique est ajouté].

En réalité avant même d'être formulée par des sociologues, la thèse du matriarcat des familles québécoises apparaît dans la littérature. Lemieux (1979: 482) observe, «à partir de 1930, [...] la naissance d'un mythe de la mère en littérature»: «Les romanciers, qui explorent plus en profondeur le domaine de l'affectivité, accorderont plus d'importance au leadership de la mère, trop facilement qualifié de matriarcal» (1979: 409).

Et il s'agirait non pas d'un leadership économique ni même politique (au sens des décisions les plus importantes de la vie familiale) mais d'un *leadership affectif, intellectuel et moral*[35]. Moreux (1969: 390) et Gagnon (1964: 16) affirment qu'il s'agit aussi, au début des années 60, d'un leadership économique. Faut-il à ce sujet rappeler que la gestion du budget est un indicateur parmi d'autres de l'autorité domestique? Faut-il rappeler que c'est dans la classe ouvrière, là où «le revenu familial est maigre que les femmes administrent le plus souvent les salaires et les dépenses courantes de la maisonnée?» (A. Gauthier, 1985: 294). Bien qu'elle soit observée assez fréquemment dans la classe ouvrière (voir Rubin, 1976), la gestion du budget par les femmes n'implique donc pas nécessairement une hégémonie (même économique) des femmes. D'ailleurs dans la décennie 80, au Québec, les études de Vinet *et al.* (1982), ainsi que de Therrien et Joly (1984) montrent que le budget n'est (et sans doute n'était pas) une prérogative indiscutée des femmes dans tous les ménages (voir *infra*).

Revenons à Colette Moreux qui dit observer un néomatriarcat à Saint-Pierre au milieu des années 60. L'examen un

tant soit peu approfondi des attitudes et opinions des informatrices de Moreux sur le mariage et la maternité montre bien que ce
«néo-matriarcat» domestique est plutôt *indicateur de la position
précaire des femmes* dans la société *et des contraintes que porte
leur insertion matrimoniale.* Ici l'interprétation d'un matriarcat
contraste avec les dires des femmes sur leur vie conjugale et
familiale.

En effet, ce mariage que les informatrices de Saint-Pierre ont
toutes «choisi», ne paraît certes pas un paradis pour plusieurs
d'entre elles. Voici ce qu'aux dires de Moreux (1969: 375), les
informatrices plus âgées disent avoir inculqué à leurs enfants:

> [...] aux garçons qu'elles gâtent et magnifient, [elles] semblent
> vouloir donner une nostalgie de la mère, dont elles sont conscientes
> et qu'elles cultivent [...]; aux filles, elles donnent la crainte du mâle,
> de sa brutalité et de son égoïsme et elles ne laissent attendre du
> mariage qu'une série de catastrophes: «Ma mère nous avait tou-
> jours dit: Quand on est marié, on pleure tout le temps» [...] elle disait
> que mon père la privait, lui refusait à manger. Elle était malade à
> chaque enfant [elle en a eu onze] pendant neuf mois; [...] Que j'ai
> donc pleuré le jour de mon mariage, j'avais jamais pleuré avant; ma
> mère m'a dit: «t'en fais pas pauvre petite t'en as pour quarante ans
> de même à c't'heure».

Plusieurs femmes avouent qu'elles auraient «préféré le cou-
vent à l'état matrimonial mais que leur mère les en avait découra-
gées» (Moreux, 1969: 374).

La maternité est présentée comme l'élément le plus positif
de leur vie. Le désir des enfants apparaît unanime chez les
femmes de Saint-Pierre, quoiqu'elles soient fermement décidées
à en limiter le nombre. Ce qui ne les empêche pas d'entrevoir les
aspects négatifs de la maternité. «La naissance des enfants marque l'enchaînement définitif de leur mère à la maison: une vie de
dévouement, d'oubli de soi commence alors» (p. 382).

Malgré «la série de catastrophes» que représente le mariage pour certaines, malgré les déchirements intérieurs que fait
vivre à la plupart d'entre elles l'interdit religieux de contrôler les

naissances, et malgré «l'enchaînement» qu'entraîne la venue des enfants, il est donc étonnant que la dissolution matrimoniale effective soit si marginale à Saint-Pierre en 1964, et que près du quart des répondantes continuent de vivre avec leur mari même si le couple est désuni. Pourquoi ces couples gardent-ils les apparences de l'union stable? Moreux (1969: 393) apporte une explication qui tient au contexte sociétal, en particulier aux aspects économiques et normatifs du mariage des années 1960:

> C'est que la sécurité matérielle et morale de la femme et des enfants n'est guère possible qu'au sein d'un groupe familial stable et apparemment intégré; les femmes en ont une conscience aiguë et il n'en est guère qui ne préfèrent cultiver les vertus de patience et d'acceptation plutôt qu'affronter la solitude et braver l'opinion.

«Affronter la solitude, braver l'opinion» bien sûr, mais aussi, en cas de séparation, vivre avec ses enfants dans une situation de pauvreté sinon de misère quasi certaine. On voit bien ici comment ces «reines du foyer» n'ont en quelque sorte pas le choix d'un autre royaume, ni même celui d'une chaumière! «La femme s'y résigne car elle n'a aucune alternative», disait Verdon (1973: 121). Sans le dire explicitement, Moreux ne laisse-t-elle pas entendre la même chose?

Que conclure de la question? Avec toutes les nuances qui viennent d'être apportées, peut-on considérer comme plausible ce «matriarcat» observé par Gagnon et Moreux dans les années 60? Il est assez clair qu'on ne peut désigner comme un matriarcat cette prépondérance exclusivement domestique des mères, sur les plans intellectuel, moral et parfois économique. Pour éviter toute ambiguïté, *il vaudrait beaucoup mieux parler de matricentrisme*[36] et prendre bien soin de préciser que, non seulement ce terme s'applique uniquement à la sphère domestique, mais qu'il n'a sans doute pas le même profil selon les milieux sociaux[37].

De plus, il faudrait expliquer comment il se fait que, dans la décennie 50, notamment dans les familles de milieu urbain, Philippe Garigue atteste de «l'autorité dominante... de l'homme»

(1962: 35); comment il se fait qu'au début des années 70 à Montréal, l'enquête de Lamarche, Rioux et Sévigny ne semble guère
mettre en doute l'autorité des hommes dans la sphère domestique, et ce, dans tous les milieux sociaux (1973: 619-621)?

* * *

Pour conclure ce chapitre, rappelons-en les grandes lignes.

Si on se fie uniquement aux *données démographiques* sur
l'état de santé du   mariage pendant les années soixante, on doit
en constater la relative stabilité. Tout au plus est-elle légèrement
ébranlée par l'augmentation des dissolutions matrimoniales vers
le fin de la décennie alors qu'on constate une certaine montée du
divorce et des naissances hors mariage.

Cette période a été par ailleurs très fertile en *transformations
sociétales* qui ont influé de façon importante sur la vie des femmes
et se sont, à leur tour, répercutées sur les conduites conjugales:
sur le plan matériel, l'accélération de leur insertion au salariat
(favorisée par l'accès accru à l'éducation) et le contrôle de leur
fécondité assurent aux femmes une autonomie économique et
personnelle minimale; sur les plans politique et culturel, auparavant disséminées dans chaque unité domestique, les femmes se
sont donné des voix collectives et ont commencé de révéler une
force de ralliement insoupçonnée. Enfin, sur les plans culturel et
normatif, les transformations légales (fin de l'incapacité juridique
des femmes mariées et accès réel au divorce) de même que
l'affaiblissement de la tutelle religieuse de l'Église rendront les
ruptures de couples socialement possibles ou mieux tolérées à
partir de 1970.

Les études menées à la même époque par des ethnologues
et des sociologues de la famille livrent peu d'écho de ces transformations *dans les maisonnées* elles-mêmes. À part l'adhésion des
femmes à la planification des naissances, les rapports conjugaux
conservent la structure fondamentale des sociétés industrielles,

soit le modèle ménagère/pourvoyeur: dans la vie domestique des années 1960, les rôles masculin et féminin sont donc nettement différenciés, la dépendance économique des femmes et leur sujétion au mari est évidente pour la plupart, quoiqu'en milieu populaire, on ait observé un certain matricentrisme (mais les auteurs se contredisent là-dessus)[38].

En raison notamment de l'intolérance sociale face aux maternités célibataires, aux unions libres ou aux séparations, les dissolutions matrimoniales n'apparaissent de façon manifeste que dans une fraction de classe elle-même marginale, le sous-prolétariat urbain: Est-ce à dire que les discordes conjugales observées par Marie Letellier à Centre-Sud seraient, dans les années 60, un phénomène tout à fait nouveau? Seraient-elles l'apanage des seules couches sous-prolétariennes? Ou serait-ce que cette misère domestique aurait plus ou moins existé de façon occulte depuis des décennies, objet de silence pudique dans la société civile et de chuchotement dans le secret du confessionnal, du bureau du médecin, des cuisines féminines ou des tavernes masculines? Objet de silence également *de la part des sociologues et ethnologues?*[39] Il est bien possible qu'il en ait été ainsi, du moins pour une fraction de la population. Car dans les autres maisonnées décrites par l'ethnosociographie des années soixante, dans les familles d'agriculteurs, de salariés forestiers (Verdon, 1973; Tremblay *et al.*, 1969), dans celles qui vivent en milieu périmétropolitain (Moreux, 1969), et derrière une façade respectable qui ne laisse souvent aucune trace aux statistiques officielles, on a pu déceler certains indices de perturbation du mariage-institution, qu'on a qualifiées de *dissolution matrimoniale latente*: la hausse des conceptions prénuptiales, les problèmes de stabilité conjugale provoqués par divers facteurs (adultère masculin, pourvoi insuffisant, absence des pères-maris du foyer, solitude des femmes, volonté d'autonomie en émergence), tout cela laisse présager les taux croissants de divorce et de séparation qui marqueront la décennie 70.

Et dans la sphère domestique, quand des femmes abandonnant leur attitude fataliste (Moreux, 1969) auront la possibilité réelle de divorcer et de subsister sans conjoint hors de l'union, elles développeront une volonté de changement de plus en plus manifeste (Sévigny, 1979); c'est alors que *les facteurs de tension conjugale des années 60 deviendront les motifs de rupture des années 70*. Tout au plus, doit-on ajouter à la liste, la violence domestique discrètement suggérée à Saint-Pierre, à Centre-Sud et à Saint-Augustin mais visible socialement (et «divulgable») en fin de décennie 70 seulement. Ainsi commence un autre chapitre des transformations de notre système matrimonial.

NOTES DU CHAPITRE PREMIER

1. Et on sait maintenant que la popularité du mariage dans l'après-guerre n'est pas étrangère au *baby boom* observé à la même époque, qui «s'explique presque entièrement par le fait que plus de couples se sont mariés, qu'ils se sont mariés plus jeunes et qu'ils ont davantage eu tendance à avoir un premier enfant» (Lapierre-Adamcyk et Marcil-Gratton, 1987)! Rappelons que les indices synthétiques de nuptialité sont la somme des taux de nuptialité (rapport du nombre annuel de mariages à un âge donné, à la population moyenne de cet âge) par âge des célibataires jusqu'à 49 ans pendant une année donnée. Il représente la proportion de célibataires susceptibles de se marier avant 50 ans, si les taux de nuptialité observés pendant l'année de référence restent constants pendant une longue période (Messier, 1984: 162).

2. Le terme «dissolution matrimoniale» est employé ici, non pas au sens restreint que lui confère le droit (veuvage, séparation, divorce) mais au sens plus large que lui donnent certains sociologues, dont William Goode (1982: 147-167): tout statut parental ou conjugal qui déroge au modèle de mariage prescrit à une époque donnée, dans une société donnée. Dans cet ouvrage, le modèle prescrit est celui qui était admis au Québec en 1960.

3. En 1961 au Québec les familles monoparentales avaient à leur tête très majoritairement des veufs(ves) (70,6 %) mais très rarement des divorcé(e)s (1,5 %) ou des mères célibataires (1,7 %). Sur le statut matrimonial des chefs de famille monoparentale, voir annexe, tableau 8; sur les indices de divortialité, voir tableau 1.

4. Le Québec n'a pas été la seule société à appliquer une telle loi. D'après Guillaumin (1978a: 13), on la retrouvait encore dans l'Espagne franquiste et dans la société française du début du XXe siècle. Gaudemet, 1987, confirme ces informations.

5. La proportion des naissances hors mariage par rapport à l'ensemble des naissances demeure assez stable entre 1950 (3,2 %) et 1960 (3,6 %). Voir annexe, tableau 6.

6. En fait, mis à part certains milieux populaires urbains, la situation des «filles-mères» pendant les années 50 est sans doute peu différente de celle décrite par Andrée Lévesque pour les années 30: voir «Deviant anonymous: single mothers at the Hôpital de la Miséricorde in Montreal, 1929-1939», in *Communications historiques/Historical Papers*, 1984: 168-184. Pour un témoignage référant au vécu d'une mère célibataire des années 50, voir Louise Davis, *Le voile de la honte*, Saint-Lambert, Héritage Plus, 1983.

7. Pour montrer combien les pères n'étaient pas tenus responsables des «enfants naturels», Massé *et al.* (1981: 19) citent un extrait de l'allocution prononcée en 1952 par Louis Beaupré, directeur du Service social de Hull, lors de la Conférence canadienne de service social: «Je dois d'abord vous dire que la loi qui 'punit' les pères naturels de cette province [Ontario], en les forçant à payer pendant des années pour l'entretien de l'enfant, comporte bien des inconvénients et des dangers [...] En fait, les pères naturels qui contribuent au maintien de l'enfant sont peu nombreux et ils sont, en grande majorité, des pères de famille ou des jeunes gens peu intelligents et peu débrouillards (sic)».

8. Voir annexe, tableau 1.
    L'indice synthétique de divortialité est «la somme des taux de divorces observés pendant une année donnée. Il représente la proportion des mariages susceptibles de se terminer par un divorce si les taux de divortialité observés pendant l'année de référence demeurent constants pendant une longue période» (Messier, 1984: 162).

9. Voir annexe, tableau 6.

10. Voir Dandurand et Saint-Jean, 1988 et, en annexe, les tableaux 7 et 8.

11. En dépit des positions collectives des syndicats en faveur d'une équité d'accès au travail pour les femmes et les hommes, Sainte-Marie et Geoffroy ont observé, à la fin des années 1960, chez les travailleurs masculins, une attitude individuelle très ambivalente à cet égard. Voir Renée Geoffroy et Paule Sainte-Marie, *Attitude of Union Workers to Women in Industry*, Studies of the Royal Commission on the Status of Women in Canada, Ottawa, Information Canada, 1971, p. 11-14.

12. Faut-il penser que cette «faible fécondité résulte de la disparition des naissances non souhaitées» par les femmes qui ont été mariées au début des années 50 (Lapierre-Adamcyk et Marcil-Gratton, 1987)?

13. On peut trouver un exemple de cette conception traditionnelle dans la formulation suivante de Jean Pineau (1978: 16): «L'État ne peut se désintéresser du mariage car celui-ci assure la stabilité nécessaire à la vie d'une famille. Pour qu'une république soit bien ordonnée, les principales lois doivent être celles qui règlent le mariage, disait Platon.»

14. Sur cette question, Nicole Laurin-Frenette (1978: 86 et 120) a déjà présenté quelques hypothèses intéressantes.

15. Précisons que l'expression «mères sans alliance» renvoie aux femmes qui élèvent leurs enfants sans conjoint, qu'elles soient célibataires, veuves, séparées ou divorcées. Voir Dandurand et Saint-Jean, 1988.

16. L'assurance-chômage, en place depuis 1940 (amendée à quelques reprises) et l'assistance-chômage qui s'y ajoute à la fin des années 50, étaient les programmes destinés à couvrir ce risque. À propos de l'assistance-chômage, notons qu'entre décembre 1960 et décembre 1962, le nombre des bénéficiaires est passé de 50 967 à 202 037 et que les budgets en ont quadruplé (Gouvernement du Québec, 1963: 70-73), ce qui a provoqué la mise sur pied du comité d'études sur l'assistance publique. Le rapport Boucher qui en émerge peut être considéré comme un premier volet de l'expansion des politiques sociales québécoises.

17. Programmes de sécurité de la vieillesse (1951) et d'assistance vieillesse (1952), de prestations aux invalides (1951) et aux aveugles (1951).

18. Témoignage d'une informatrice, corroboré par Letellier, 1971. Ajoutons que les femmes disaient: «avant de toucher mon bien-être», parce que c'étaient des fonctionnaires des «agences de bien-être» qui étaient chargés d'enquêter et de recommander le versement des prestations.

19. L'article 14 de la Loi d'assistance aux mères nécessiteuses, version 1964, se lit comme suit: «Aucun chèque émis en faveur d'une personne qui bénéficie d'une allocation ne peut être payé à moins que son endossement ne soit certifié par un ministre du culte, le secrétaire-trésorier d'un conseil municipal ou d'une commission scolaire, un commissaire de la Cour supérieure, un juge de paix ou un gérant de banque.»

20. Sans entrer dans les détails, notons que l'évolution du régime fédéral canadien au XXᵉ siècle a été marquée par l'initiative du Gouvernement du Canada sur le Gouvernement du Québec dans des domaines en principe dévolus aux provinces: il en fut ainsi notamment de la santé et du bien-être. C'est ce qui explique que la plupart des lois d'assistance ou d'assurance sociale soient d'abord promulguées par le gouvernement central et qu'à de rares exceptions, elles soient reprises, quelques années plus tard, par le gouvernement provincial du Québec et adoptées comme lois au parlement de la province.

21. Il y avait en 1960, 21 collèges classiques féminins, dont plusieurs très récents. Ils recevaient de fort maigres subventions gouvernementales en comparaison des collèges classiques masculins.

22. Les programmes de cours Lettres-Sciences étaient une sorte d'abrégé du cours classique, destiné à donner aux filles un aperçu des disciplines abordées par les garçons au collège et à l'université. Il ne leur donnait pas accès à l'université ni ne les qualifiait pour le marché du travail.

23. «En 1959, [...] une minorité de 8 461 garçons fréquentaient le 2ᵉ cycle des 54 collèges classiques existant à travers la province et une minorité bien plus mince encore de 1 865 filles se divisaient entre les 21 collèges classiques féminins existant à la même période. En regard de la clientèle potentielle des 18-21 ans, cela représente bien peu.» Nadia Fahmy-Eid, «Un univers articulé

à l'ensemble du système scolaire québécois» dans Dumont et Fahmy-Eid, 1986: 37, 38.

24. La mixité des écoles a signifié une abolition presque complète des programmes réservés uniquement aux filles et aussi, ce qui est moins heureux, la disparition des directions féminines (des religieuses en général) des institutions d'enseignement: comme l'indique le collectif Clio (1982: 433, 434), «les compétences féminines sont alors neutralisées» dans plusieurs institutions hospitalières et d'enseignement.

25. Des bûcherons ou travailleurs forestiers auxquels s'ajoutent quelques journaliers, tous à mi-temps «chômeurs» (1973: 67).

26. Y eut-il à Dequen, comme à Boisvert (voir Allard, 1967: 62), la possibilité pour les femmes de faire du travail salarié à domicile, tel que couture et tissage «pour les autres», vente de produits de beauté? Verdon signale que les fermières vendent les produits de la cueillette (petits fruits), de l'horticulture et de l'élevage domestique, et s'en font un revenu d'appoint qu'elles destinent à la consommation domestique (1973: 117). Mais qu'en est-il des épouses de salariés? Il est à préciser que Dequen et Boisvert sont les noms fictifs de deux villages, l'un du Lac Saint-Jean, l'autre du Saguenay.

27. Que signifie cette «négligence vestimentaire»? Verdon laisse entendre que la femme se relâche, découragée par sa solitude. Ici, on trouve dommage que l'ethnologue n'ait pas cherché à comprendre plus avant la situation des femmes à Dequen: cette négligence vestimentaire est-elle l'indice d'une résistance de la femme pour «empêcher la famille», en somme une stratégie de contrôle des naissances? Est-ce un effet de sa pauvreté autant que de son isolement? La monographie ne nous informe pas malheureusement sur ces questions et, sur la régulation des naissances en particulier, on aurait souhaité avoir davantage d'information. Sur ce dernier point, la thèse de Jocelyne Valois sur «Le changement socio-culturel à l'intérieur de la famille agricole canadienne-française» (Université Laval, 1965), résultat d'un terrain mené dans le Bas Saint-Laurent à la fin des années 50, nous livre quelques indications: ce sont les épouses qui cherchent à limiter les naissances, ce qu'elles justifient en invoquant leur propre santé, les ressources financières limitées des ménages et l'importance de faire instruire les enfants le mieux possible (p. 127).

28. L'ouvrage de Moreux s'intitule: *Fin d'une religion? Monographie d'une paroisse canadienne-française*. La paroisse a reçu le nom fictif de Saint-Pierre, qui est à la fois «village traditionnel, bourg provincial et ville-dortoir» (1969: XXII) et, d'après Moreux, une localité assez représentative de la province de Québec. La cueillette de données s'est faite en 1964 à l'aide d'entrevues, avec questionnaires semi-structurés, auprès d'un échantillon de répondantes, constitué à partir de la population féminine francophone, stratifiée en trois groupes d'âges (p. XXIII), mais dont la composition de classe n'est pas explicitement exposée: nous savons seulement que la population visée a une composition occupationnelle où les trois groupes suivants se répartissent à peu près également: ouvriers et manoeuvres, employés de bureau et de

services, administrateurs et professionnels (ces derniers étant un peu plus nombreux que chacun des deux autres groupes) (p. 100).

29. Cette attitude maternelle face à la grossesse d'une fille est illustrée dans un roman de Madeleine Ferron publié en 1966, *La fin des loups-garous* (p. 171). Enceinte d'Antoine, un homme marié du village, Rose annonce à sa famille qu'elle s'enfuit avec son amant. Sa mère réagit très fortement: «S'il le faut, je la ferai enfermer. Je la ferai plier. Je la ferai dompter».

30. Et combien sont-elles à ne pas avouer? Et à ne pas savoir?

31. Chiffres très proches de ceux calculés par Colette Carisse (1964): 3, 4 enfants désirés en moyenne.

32. Ce néologisme, utilisé parfois par des journalistes, signifie la fuite des hommes devant les responsabilités paternelles (voir Dandurand, 1982: 201).

33. Marc-Adélard Tremblay, auteur avec Gérald Fortin des *Comportements économiques de la famille salariée au Québec*, confirme cette assertion (1964), qu'il nuance toutefois dans un autre écrit: le père détient l'autorité par tradition; la mère détient le pouvoir car elle administre le budget familial (1966). Guy Rocher présente un point de vue analogue: «c'est par la puissance des liens affectifs qu'elle [la mère] régit la communauté familiale sous l'autorité officielle du père» (1964: 201).

34. Dans une analyse critique sur le «pouvoir» des femmes au sein des familles urbaine et rurale au XIXe siècle, Louise Tassé a bien montré comment ce pouvoir est idéologique puisque les femmes ne constituent pas un groupe social dans la société civile (1983: 91-101).

35. Pour le Québec préindustriel (le «Moyen Âge»), Nicole Laurin-Frenette (1978: 86) a présenté une interprétation de «l'autorité spécifique de la femme, dans la famille (comme venant) surtout du fait que c'est à partir de cette place [celle de la mère] qu'est assurée l'articulation structurelle de l'unité familiale à l'Église comme appareil général de contrôle et de reproduction».

36. Cette idée avait été énoncée par Andrée Roberge en commentaire à une communication au congrès de l'Acfas 1985. Nicole Gagnon avait d'ailleurs elle-même suggéré le terme matricentrisme (1968) après avoir parlé de matriarcat (1964).

37. Précisions que le matricentrisme observé au Québec par Gagnon et Moreux est à rapprocher de l'importance accordée à la mère (mom) dans la famille ouvrière londonienne: voir Young et Willmott (1957).

38. Malheureusement, les aspects affectifs des rapports matrimoniaux ne sont à peu près pas abordés par l'ethnosociographie. On commence seulement à analyser la question de la «production du sentiment amoureux»: voir Dayan-Herzbrun, S., «Production du sentiment amoureux et travail des femmes», *Cahiers internationaux de sociologie*, LXII, 1982: 113-130.

39. Quand cette réalité était évoquée, c'était pour en souligner la marginalité: on en parlait comme d'une famille à «comportements déviants» (Tremblay et Fortin, 1964: 325) ou même d'une famille «non normale» (titre d'un chapitre de

l'ouvrage de Fred Elkin sur *La famille au Canada* (1964: 149-188). Voir également l'étude de Huguette Dagenais, *L'image des femmes et des rapports hommes-femmes dans les monographies québécoises des années 1960*, communication présentée au Congrès de l'Institut canadien de recherche et d'étude sur les femmes, novembre 1984.

2

Un brusque virage dans la modernité 1970-1985

LA VIE MATRIMONIALE EN CHIFFRES

Amorcée dans la décennie 1960, la «modernisation» des modes de vie familiaux va s'accélérer dès 1970 en un mouvement ample et rapide: les transformations matrimoniales, plutôt latentes dans la décennie précédente, vont peu à peu apparaître de façon tout à fait manifeste à travers les indices démographiques.

À la suite de la Loi du divorce de 1968, on assiste à une hausse rapide des indices de divortialité[1]: chiffrés à 8,7 % en 1969, ils atteignent en 1976, 38,2 %, ce qu'on pensait être un plafond. Après 1980, à cause notamment de la baisse de la nuptialité, ces indices remontent de plus belle, jusqu'à 44 % en 1981 pour ensuite se stabiliser autour de 36 % en 1985. Ainsi les taux québécois, sans atteindre ceux des États-Unis ou de la Suède, sont plus élevés que ceux d'un pays comme la France, qui dispose pourtant d'une loi du divorce depuis 1884.

Les indices de nuptialité[2] vont afficher une tendance inverse. Jusqu'en 1972, ils sont fortement élevés (92,3 % et 96,5 %). Par la suite, on assiste à une baisse, d'abord lente entre 1973 et 1976, qui s'accélère brusquement, atteignant, en 1985, des taux inconnus jusqu'ici, aux alentours de 50 % (49 % et 51,7 %)[3]. Cette désaffection du mariage légal chez les célibataires se fait également ment sentir dans la diminution des remariages: en 1975, c'était encore une majorité des personnes divorcées et veuves qui se remariaient, alors qu'en 1984, moins du tiers des femmes et un peu plus du tiers des hommes contractaient une nouvelle union (Duchesne, 1987: 132). D'abord prudents quant à l'interprétation de tels chiffres, des démographes affirment depuis quelques années que «la régularité et l'importance de la baisse ne laissent pas de doute quant à la tendance de la nuptialité», dont «la chute est très forte et le niveau très bas» (Duchesne, 1987: 128).

Si les taux de nuptialité sont bas, il ne faut pas en déduire que les Québécois ont pour autant délaissé la vie en couple. Comme les Français (Roussel et Bourguignon, 1978) ou les Américains (Cherlin, 1981: 12-19), ils sont de plus en plus nombreux à vivre en cohabitation ou en union consensuelle. Estimés à 12,08 % chez les jeunes de 18 à 35 ans au début des années 1970 (Carisse, 1974: 88), les taux de cohabitation semblent déjà plus élevés en fin de décennie: la démographe Évelyne Lapierre-Adamcyk évalue leur fréquence à «20 % des premières unions contractées en 1975-1980 et non encore rompues à l'automne 1980». Ces données sont commentées de la façon suivante: «Cette proportion d'un couple sur cinq apparaît d'autant plus plausible qu'elle suffit à rendre compte du bas niveau de la nuptialité des célibataires à la fin des années 70» (Lapierre-Adamcyk et Peron, 1983: 29). C'est donc dire que la désaffection du mariage légal n'aurait pas signifié, jusqu'en 1980 du moins, une baisse de la vie en couple mais un remplacement des unions légales par des unions libres. Depuis 1980, le recul de la nuptialité s'est encore accentué alors qu'augmentaient considérablement les unions libres, chez les jeunes surtout. Entre 1981 et 1984, la proportion des jeunes cohabitantes chez les femmes célibataires serait passé de 7 à 18 % chez les 18-19 ans, de 18 à 27 % chez les 20-24 ans et de 25 à 42 % chez les 25-29 ans. «Le phénomène semble donc en pleine progression et le recul des indicateurs de l'évolution du mariage légal confirme cette tendance» (Lapierre-Adamcyk et al., 1987: 29). Mais là encore, c'est un recul bien mitigé: quand elles sont interrogées en 1984, les jeunes Québécoises révèlent leurs intentions quant au mode d'union qu'elles entendent privilégier: pour elles, vivre en cohabitation constitue bien davantage un prélude (42,4 %) qu'un substitut (11,6 %) au mariage; et c'est encore près de la moitié d'entre elles (46 %) qui font le choix de l'union légale comme seul mode de vie en couple[4]. Et elles sont une infime minorité (3 %) qui envisagent de vivre toute leur vie sans conjoint. Faut-il préciser que ce ne sont pas là des situations de fait mais des «intentions» et que les aspirations des filles quant à leur avenir font encore une large place au mariage (voir Baker, 1985)? La situation est donc fort mouvante et difficile à prévoir.

Enfin les nombreuses naissances hors mariage sont-elles issues d'unions libres ou de liaisons passagères? Il n'y a pas de réponse précise, non plus, à cette question. La fréquence des naissances extramaritales, déjà à la hausse depuis 1965, s'est accentuée après 1970, passant de 8 à 11,2 % en 1978, atteignant 18,2 % en 1982 et 25 % en 1985[5]. Ces changements se font dans un mouvement qui paraît concomitant à la baisse de la nuptialité et à la montée de la cohabitation, ce qui permet de poser l'hypothèse que ces naissances sont plutôt consécutives à des unions libres. Surtout issues de célibataires, ces naissances sont en partie le fait des autres mères sans alliance que sont les veuves, divorcées et séparées légales [entre 8 et 10 % des naissances hors mariage depuis 1975 (voir Messier, 1984: 176)].

La montée du divorce et de la séparation, des unions libres et des naissances hors mariage sont autant d'éléments qui, à partir de 1970, vont transformer le paysage de la vie matrimoniale et faire apparaître, plus nombreuses, de nouvelles mères sans alliance, responsables de foyers monoparentaux. Rappelons qu'entre 1971 et 1981, le nombre de familles monoparentales augmentait de 54 % alors que celui des familles biparentales ne s'accroissait que de 11 %. Au milieu des années 1980, les familles monoparentales représentaient une famille parentale sur cinq au Québec[6].

LE MARIAGE DANS LA SOCIÉTÉ

La décennie 70 s'ouvre sur la publication du rapport de la Commission royale d'enquête sur la situation des femmes au Canada (rapport Bird, du nom de sa présidente). Formulation de nouvelles réclamations, prélude aux changements qui s'en viennent, les principales recommandations de ce rapport portent sur l'égalité des femmes dans les domaines de l'emploi et de l'éducation ainsi que sur les mesures sociales nécessaires à l'atteinte d'une telle égalité. Les femmes réclament des changements aussi bien dans la société que dans la maisonnée, et pour ce faire, à travers le Mouvement des femmes en plein essor, elles s'adresseront principalement à l'État.

Dans la société québécoise des années 1970-1985, comment l'institution du mariage traditionnel, déjà affectée par les changements de la décennie 60, sera-t-elle modernisée sous l'influence des grandes instances économiques, politiques et culturelles? Un nouveau système matrimonial sera-t-il mis en place? Les contraintes matrimoniales, qui s'exerçaient surtout sur les femmes, seront-elles allégées ou redéployées? Quelles sont les nouvelles possibilités qui s'offriront aux couples? De quelle alternative à la vie en mariage traditionnel les femmes disposeront-elles? Pour répondre à ces questions, nous avons examiné les principaux secteurs de la vie sociétale et les acteurs sociaux qui ont joué un rôle dans les transformations matrimoniales de la sphère publique.

L'accès des femmes mariées au salariat et à l'éducation: ouvertures croissantes et inégalités persistantes

La fixation des Québécoises dans le salariat se confirme pendant cette période. Alors qu'elles constituent en 1970 le tiers de la main-d'oeuvre totale et, en 1980, les deux cinquièmes, les nouvelles travailleuses sont surtout des femmes mariées et d'âge mûr: Boulet et Lavallée (1984: 7) rapportent que pendant la décennie 1970, «ce sont les femmes de 25 à 44 ans qui ont le plus accru leur taux d'activité, qui a augmenté de moitié».

Le mariage n'est donc plus un obstacle à l'emploi des femmes surtout si elles sont jeunes et scolarisées. Leurs motivations au travail diffèrent[7] mais au début des années 80, la main-d'oeuvre féminine se compose d'une majorité de femmes mariées (62 % selon Messier, 1984: 33). Pour la plupart, la maternité n'est plus un obstacle à la vie professionnelle. C'est du moins ce qui ressort des intentions des jeunes mères dont le Conseil québécois des affaires sociales et de la famille (1981: 21) a recueilli le témoignage en 1980: «À moins de trois mois après la naissance de leur enfant, près de 6 % d'entre elles avaient repris leur activité professionnelle et 52 % avaient l'intention de le faire.»

Mais il serait bien prématuré d'affirmer que parce qu'elles ont un accès plus facile au salariat, les femmes ont désormais acquis l'indépendance économique. Les inégalités persistent nombreuses sur le marché du travail. Ainsi les femmes ont une vie professionnelle très discontinue et des emplois souvent précaires par rapport aux hommes (Kempeneers, 1987). Plusieurs d'entre elles travaillent à temps partiel, pas toujours par choix et souvent pour concilier responsabilités domestiques et travail rémunéré: la résistance est en effet très vive au partage des tâches ménagères et des responsabilités parentales[8], que les femmes aient un emploi à temps plein ou partiel. Par ailleurs, confinées aux «ghettos d'emploi féminin» (David, 1986: 9-56) ou aux emplois de «cols roses» (Descarries-Bélanger, 1980), même les travailleuses à plein temps reçoivent encore des salaires nettement moins élevés que ceux des hommes: par exemple, entre 1975 et 1982, le revenu annuel moyen des femmes au Canada, en proportion de celui des hommes, aurait augmenté de quelques points, passant de 49 à 56 % (David — McNeil, 1985: 7), mais selon Ruth Rose, cette réduction d'écart n'est «pas le résultat d'une augmentation du salaire des femmes mais plutôt d'une réduction de ceux des hommes». D'ailleurs, la contribution des femmes aux revenus des ménages pendant la décennie 70 est un autre indice de leur stagnation sur le plan économique.

> [...] la contribution moyenne des femmes au revenu moyen des familles biparentales s'est toujours maintenue à près de 30 % au cours de cette période. C'est dire que, même si on trouve aujourd'hui plus de familles ayant une femme gagne-pain, ce qui, du coup, a fait croître la masse totale des revenus perçus par ces familles, en général la contribution moyenne des femmes au revenu de leur famille n'a pas changé (Boulet et Lavallée, 1984: 7).

Peut-on en déduire qu'à 30 % de l'ensemble des revenus familiaux, le salaire des femmes mariées demeure encore un «salaire d'appoint», donc destiné à compléter celui du mari? Sans doute. Et ce contexte aide à comprendre pourquoi, quand elles sont confrontées à une rupture, les mères chefs de familles mono-parentales vivent dans un état de grande indigence: la plupart des emplois dévolus aux femmes ne leur procurent pas un «salaire familial[9]», et les ex-conjoints étant assez souvent réticents à s'acquitter de leurs obligations parentales (pensions alimentaires), plusieurs mères sans alliance n'ont donc souvent pas d'autre recours que de s'en remettre à l'aide sociale (ou de trouver un autre partenaire masculin qui gagne, lui, un «salaire familial»). On voit bien ici, à travers l'examen des conditions salariales des femmes, comment dépendance économique et contrainte matri-moniale sont liées et jouent encore sur leur destin, les obligeant à la dualité du travail domestique et salarié (Saint-Jean, 1986: 36).

Bien que la réalité du salaire d'appoint concerne encore la majorité des femmes, il serait injuste d'affirmer que toutes y sont réduites. Parce qu'elles se sont prévalues de l'ouverture de l'enseignement supérieur aux filles, certaines femmes ont fait des percées, certes variables mais réelles[10], dans les professions libérales, scientifiques et administratives. Or plus les femmes mariées sont scolarisées, plus elles sont actives sur le marché du travail. Des études américaines (Glick, 1984: 17) et canadiennes (Lapierre-Adamcyk et al. 1987: 42) montrent, en outre, que plus les jeunes femmes des années 80 sont instruites et dotées d'une bonne insertion professionnelle, moins elles ont tendance à contracter un mariage légal. Cette tendance indique non pas un refus de la vie en couple (plusieurs de ces célibataires vivent en cohabitation) mais, semble-t-il, un rejet du mariage traditionnel. On voit bien ici comment, sous la pression de changements dans l'insertion professionnelle des femmes, leur insertion matrimoniale est modulée: pour elles, il semble que le mariage doive s'ajuster comme institution, présenter des modèles plus libéraux, sinon il sera délaissé ou soumis à la dissolution.

Le tableau statistique des interrelations entre travail, éduca-tion et mariage ne doit pas faire oublier que, dans la sphère publique, des acteurs collectifs ont freiné ou favorisé de tels changements sociaux. À titre d'employeur et de législateur, l'État et certains secteurs privés de l'emploi ont accru leur offre de travail pour la main-d'oeuvre féminine, du moins jusqu'aux années 80. Mais la consolidation du droit des femmes au travail rémunéré de même que l'amélioration de leurs conditions de travail ont été obtenues à la suite de pressions de l'ensemble du Mouvement des femmes. Donnons-en quelques exemples. Ainsi les comités de condition féminine des syndicats ont joué un rôle important dans la correction, aux conventions collectives, de certaines inégalités salariales (Fahmy-Eid et Piché, 1987). Les comités de condition féminine des ministères ont également exigé des programmes d'accès à l'égalité en emploi dès la fin des années 1970 au Québec: jusqu'ici, ces progammes ont eu un effet limité (Tardy, 1986) et n'ont été implantés que pour des employés des secteurs publics et parapublics. Ces derniers ont également obtenu, en 1979, des congés de maternité relativement généreux de l'État-employeur (93 % du salaire pendant 20 semaines) pour compléter les mesures mises en place pour toutes les travailleuses canadiennes depuis 1971, soit le versement, pendant 15 semaines, de prestations s'élevant à 60 % du salaire. Enfin, l'Aféas obtient, en 1980, un amendement aux lois fiscales provinciale et fédérale pour les femmes collaboratrices du mari dans l'entreprise familiale: les maris peuvent désormais verser un salaire à leur épouse, comme à tout autre employé.

Depuis la décennie 80 surtout, le droit des femmes au travail serait à nouveau mis en cause par deux phénomènes: le retrait de l'État-providence et l'introduction de la microtechnologie menaçant de nombreux emplois féminins. En plus de couper des postes dans le secteur public, ces changements risquent de contraindre bien des femmes au retour à la sphère domestique. La «féminisation de la main-d'oeuvre» aurait-elle été passagère et aurait-elle, à la façon d'une main-d'oeuvre de réserve, favorisé la transition entre les sociétés industrielle et postindustrielle? Dans ces circonstances, est-il à prévoir que bien des femmes devront «se replier sur le mariage et céder la place aux hommes» (Saint-Jean, 1986: 37)? Cette perspective risque d'influer sur l'avenir du mariage, soit sur les taux de nuptialité aussi bien que sur les rapports conjugaux.

La «révolution contraceptive» se confirme mais la charge parentale est encore peu soutenue par la société

Comme l'insertion des femmes mariées au marché du travail, les changements reliés à la sexualité et à la fécondité ont un impact important sur les rapports matrimoniaux. Avec la révolution contraceptive en effet, on peut penser que la levée des anxiétés liées aux risques de grossesses serait susceptible de favoriser l'harmonie conjugale. Cependant, le soin et l'éducation des enfants, quand le père et la mère travaillent, est une situation qui risque d'être porteuse de nouvelles tensions: le fait d'avoir des responsabilités à partager et à déléguer suppose à la fois une redéfinition des rôles maternel et paternel (voir Braun, 1987) et un soutien accru aux familles dans les tâches de parentage.

Amorcée au milieu des années 1960, la «révolution contraceptive» se poursuit et révèle des changements majeurs dans les pratiques liées à la sexualité et à la fécondité. Les femmes acceptent de moins en moins d'être soumises aux risques d'une naissance indésirée. Elles cherchent à vivre des maternités davantage consenties, ce qui n'équivaut pas du tout à un refus d'enfant: Henripin et Lapierre-Adamcyk (1974: I) soutiennent que, en 1971, elles «conservent une attitude nettement favorable à l'égard des enfants, qui sont souvent perçus comme nécessaires au bonheur des couples». Selon la même étude, c'est alors sept jeunes[11] femmes sur dix qui utilisent une méthode contraceptive, surtout la pilule anovulante (31 %) et l'abstinence périodique (20,5 %). La contraception est assumée très majoritairement par les femmes et la stérilisation est encore rare (1,47 % chez les femmes) (Henripin et Lapierre-Adamcyk, 1974: 108). À mesure que se déroule la décennie 1970, les couples, surtout les plus jeunes, auront moins d'enfants qu'ils ne le prévoyaient (Henripin et al., 1981: 21-41). Les femmes étant prévenues contre certains dangers de la contraception chimique, la stérilisation sera de plus en plus répandue. De sorte qu'en 1982, chez les couples québécois de 20 à 45 ans, on constate que 36 % utilisent une méthode contraceptive et 42 % sont stérilisés (Messier, 1984: 193); il faut souligner que ces derniers ont pour la plupart complété leur famille, ayant déjà deux ou trois enfants. Mais le modèle de l'initiative féminine en matière de contrôle des naissances se perpétue, aussi bien pour la contraception (pilule et stérilet comptent pour les deux tiers) que pour la stérilisation (ligature de trompes et hystérectomies représentent les trois quarts des interventions[12]).

La libéralisation des contraintes à la procréation et au mariage comporte aussi une autorisation légale de l'avortement. Les années 1970 voient l'application de la loi votée en 1968 au Canada, qui permet l'avortement à fins thérapeutiques, c'est-à-dire quand la continuation de la grossesse met la vie ou la santé de la mère en danger. La loi stipule que c'est un comité thérapeutique, composé de trois médecins, qui peut autoriser l'avortement, et ce dernier doit s'effectuer dans un hôpital accrédité. Quinze ans après avoir été promulguée, il faut constater que la loi n'est pas également appliquée dans toutes les régions du Canada et du Québec (souvent faute de comité thérapeutique), et que là où elle est appliquée, elle ne répond pas aux besoins. C'est pourquoi des instances médicales non accréditées[13] effectuent encore des avortements plus ou moins clandestins.

Les luttes et débats publics autour de l'avortement sont certes parmi les plus vifs de la scène publique des années 1970-1985. Les éléments conservateurs de la société, en particulier du corps médical et des puissances cléricales, ont formé des coalitions Pro-Vie pour s'opposer à l'avortement, même à fins thérapeutiques. Ils s'affrontent aux groupes féministes de diverses allégeances[14] et en particulier à la Coalition québécoise pour le droit à l'avortement libre et gratuit, qui ont lutté constamment depuis 1970, non seulement pour que la loi soit appliquée, mais aussi pour que des services adéquats soient disponibles aux femmes qui ne désirent pas une naissance. Si l'on en juge par la virulence du débat, cet enjeu, qui paraît seulement une question de «mentalités» concernant la procréation, a des connotations profondément politiques, reliées d'abord à la contestation, par les hommes, de la maîtrise accrue qu'ont ainsi les femmes sur leur propre corps, ensuite à la régulation sociale opérée sur les individus par l'entremise des institutions patriarcales du mariage et du travail dans la société[15].

Au Québec comme ailleurs en Occident, la «révolution contraceptive» a entraîné une baisse des taux de natalité. Les petites familles sont désormais la règle (Duchesne, 1987: 26), mais «si les couples ont moins d'enfants, ils continuent d'en avoir et très peu souhaitent n'en pas avoir du tout» (Secrétariat..., 1984: 14 et Matthews, 1984). Malgré la baisse des taux de natalité, les pouvoirs publics québécois, qui dépensent pourtant largement dans les secteurs de l'éducation et du socio-sanitaire depuis 1969, mettront du temps à subventionner des services qui permettront aux couples de concilier travail et soin des enfants. En 1971, alors que plus de la moitié des jeunes mères sont au travail (Henripin et Lapierre-Adamcyk, 1974: 72), il n'y a pas une seule garderie publique au Québec: on conçoit que c'est là une «pression» très vive sur des conjoints qui sont tous deux en emploi et que le climat matrimonial se ressent des inquiétudes et du surcroît de travail que suppose une telle situation. On peut concevoir également que le défaut de services de garde puisse avoir un impact sur les décisions des jeunes couples ou des femmes de différer les naissances ou même d'adopter un comportement d'infécondité volontaire, comme on peut le constater dans certaines données des années 80 (Romaniuc, 1984: 30-38 et Baker, 1985).

Comme pour l'avortement, ce sont principalement les femmes qui ont défendu le dossier des garderies car ce sont elles qui ont cherché à transformer les pratiques du soin très exclusif des enfants par la mère. Comme ailleurs en Amérique du Nord, l'implantation de garderies ne fut pas largement répandu[16] et, mises à part quelques garderies privées, les premières garderies publiques naissent au Québec à la faveur de subventions ad hoc, dites d'Initiatives locales (Desjardins, 1984: 44). Par la suite, est mis en place en 1974 une formule plus stable, le Plan Bacon, qui préconise des mesures de subventions aux parents usagers les plus défavorisés, et plus tard (1977), sera accordée aux mères salariées une exemption d'impôt pour frais de garde. Pour des subventions directes aux garderies, qui seront toujours très maigres d'ailleurs[17], il faut attendre 1980 et l'instauration de l'Office des services de garde à l'enfance. Ces divers modes de financement des garderies auraient eu, selon Marie Léger (1986: 123), une influence sur le recrutement de la clientèle: «les monoparentales et les professionnels commencent à devenir des clientèles de choix, soit les femmes au travail (avec bon salaire) et les femmes seules qui doivent travailler pour ne pas être assistées sociales». Coûteuses pour les parents, les garderies sont en outre largement insuffisantes: selon un rapport gouvernemental (Brouillet *et al.*, 1982: IX), en 1980, elles ne répondaient qu'à 13,7 % des besoins; en 1985, un calcul plus raffiné des besoins, prenant en compte la fréquentation à temps partiel (Dumais, 1986), permet d'avancer que moins de 30 % des besoins seraient comblés. C'est bien peu et, au niveau canadien, le Rapport Cooke (1986), déplorant cette situation, préconise l'amélioration des services de garde et l'octroi de congés parentaux.

La révolution contraceptive et le soutien collectif à l'élevage des enfants changent la vie des femmes d'abord mais aussi, on tend à l'oublier souvent, la vie des couples. Les femmes ayant moins d'enfants pendant une période de temps plus limitée et recevant maintenant un certain appui collectif dans le soin aux enfants, le cycle de la vie consacré au maternage est donc réduit. Par conséquent, les hommes en union vivent désormais avec une femme qui sera bien davantage et plus longtemps qu'autrefois leur partenaire et leur compagne que la mère de leurs enfants. D'autre part, ces pères sont davantage sollicités à assumer une part plus grande dans le soin et l'éducation des enfants. Ces changements dans les cycles matrimoniaux et les rôles parentaux ont un impact certain sur l'institution du mariage.

**Un droit matrimonial plus égalitaire:
que sera son application?**

La correction du Code civil québécois avait débuté en 1964 avec l'abolition du statut de mineure attribué à la femme mariée; elle se poursuit dans les années 70 et 80, en même temps que le divorce sera davantage libéralisé.

En 1970, la *société d'acquêts* remplace la communauté de biens comme régime matrimonial légal, permettant aux femmes d'accéder à la gestion des biens. Mais tous les couples ne s'en prévalent pas: même s'il s'avère l'un des plus égalitaires au pays, le régime s'applique à peine à plus de la moitié des mariages en 1982 (Messier, 1984: 179).

Le principe de l'égalité des époux est plus largement reconnu en 1977 par l'adoption d'un amendement au Code civil qui remplace l'autorité paternelle dans la famille par l'*autorité parentale*. Selon Renée Joyal (1987), «ces dispositions [...] témoignent d'un changement radical de perspective»: on passe des «droits sur» les enfants aux «responsabilités envers» eux. De plus, à ces premiers responsables des enfants, les parents, s'ajoute la surveillance de l'État sur eux avec la *Loi sur la protection de la jeunesse*, promulguée aussi en 1977. Par cette législation est créé un organisme étatique chargé d'intervenir auprès des parents qui auront été jugés inadéquats: l'intervention peut aller de l'avertissement à la «déchéance» d'autorité parentale.

L'importance grandissante des dissolutions matrimoniales incitera sans doute l'État à implanter quelques services connexes aux événements judiciaires de la vie matrimoniale: en 1972, création d'un *service d'aide juridique*, qui assure aux plus démunis et à bien des femmes l'assistance gratuite d'un avocat, et partant l'accès réel au divorce et à la séparation; sur les mêmes dossiers, des *services d'expertise psychosociale* assistent les tribunaux de tous les districts judiciaires de même que des *services de médiation à la famille* (dont les experts sont travailleurs sociaux, psychologues ou conseillers matrimoniaux) sont établis à Montréal (1981) et à Québec (1984).

C'est pendant la décennie 80 que prennent place les pièces maîtresses des changements en matière de droit matrimonial: la Loi instituant un nouveau Code civil et portant réforme du droit de la famille; la Loi de 1985 sur le divorce. Il importe de s'y arrêter plus longuement.

À l'instar de l'Ontario, qui reformule en 1978 sa loi sur le droit de la famille (Family Law Reform Act), et de la France qui adopte diverses législations familiales entre 1964 et 1977, le Québec promulgue en 1980[18] *un nouveau Code de la famille* qui reprend et complète des amendements précédents. Deux «grands principes» président à son élaboration: l'égalité juridique de l'homme et de la femme au sein du ménage; l'égalité juridique des enfants, quelle que soit leur filiation, légitime, naturelle ou adoptive.

L'application de ces principes commence par les règles régissant l'autorité familiale: «La direction morale et matérielle de la famille» (art. 443) est la responsabilité conjointe des époux: «ils se doivent mutuellement respect, fidélité, secours et assistance» (art. 441) et conjointement, ils «exercent l'autorité parentale et assument les tâches qui en découlent» (art. 443); «les époux contribuent aux charges du mariage en proportion de leurs facultés respectives» et «chaque époux peut s'acquitter de sa contribution par son activité au foyer» (art. 445). D'autre part, égalité oblige, «on remplace le mandat domestique qui définissait la femme comme mandataire de son mari pour les dépenses quotidiennes, par la solidarité des dettes [du ménage]» (Côté, 1982: 22). Les époux choisissent conjointement la résidence familiale, dont la nouvelle loi assure la protection, l'un des époux ne pouvant disposer des biens du ménage ou de la résidence sans le consentement de l'autre (art. 449-462). En cas de rupture matrimoniale, à ces dispositions de protection des biens (pas encore parfaites, voir CCPF, 1986: 124, 125), s'ajoute la possibilité, pour les femmes au foyer, d'obtenir une prestation compensatoire pour le travail qu'elles ont pu assumer gratuitement pendant l'union. Mais cette mesure est difficilement applicable:

> Si cette nouvelle loi reconnaît théoriquement le travail domestique comme apport économique, elle ne détermine aucune échelle de compensation pendant la durée du mariage, ni n'oblige maris et femmes au partage du travail et des revenus (A. Gauthier, 1985: 263).

Devant la montée importante des unions sans papier, de même que dans le souci d'harmoniser droit social (par exemple Loi de l'aide sociale) et droit familial, le législateur atténue largement la marginalité du concubinage, sans toutefois le reconnaître explicitement (L'Heureux-Dubé, 1983: 305). Ainsi, il abolit les termes concubins, enfants illégitimes ou naturels et parlera dorénavant d'enfants tout court[19] et de conjoints de fait. Ces derniers pourront se lier par contrat, se faire des donations, ce qui protégera certains conjoints dans le cas d'une séparation. Si rien n'oblige, dans la loi, les conjoints de fait aux devoirs mutuels des conjoints légaux, ni pendant, ni après l'union de fait, il peut y avoir ordonnance alimentaire de la Cour en faveur des enfants de parents séparés.

Au chapitre des dissolutions de mariage, le Code de la famille traite de la séparation de corps [qui peut être obtenue sans autre motif que l'«atteinte grave à la volonté de vie commune» (art. 525)], mais aborde peu le divorce, qui relève toujours des pouvoirs fédéraux. Jusqu'au milieu des années 80, le divorce a donc été régi par la législation canadienne de 1968, qui appliquait la formule du divorce sanction, ou, quand le divorce n'était pas contesté, la séparation préalable d'une durée de trois ou cinq ans (voir *supra*). Depuis juin 1986, est appliquée la *Loi* [canadienne] *de 1985 sur le divorce*, qui présente certains changements. Cette loi ne retient qu'un seul motif de divorce, l'échec du mariage, lui-même établi...

> soit par une période de séparation d'une année préalable au pro-
> noncé de la décision, soit par la perpétration d'une faute conjugale
> [adultère, cruauté physique ou mentale] par l'époux contre qui le
> divorce est demandé (Joyal, 1987).

La nouvelle loi sur le divorce est donc un compromis entre la loi canadienne de 1968 et des lois complètement libérales, qui ne retiennent, comme dans plusieurs états américains, que les formules sans faute et avec consentement mutuel: la loi de 1985 conserve donc une formule de «divorce-sanction», même ténue, à côté d'un quasi «divorce-sans-faute», et la déclaration de divorce peut être déposée de façon unilatérale ou conjointement par les deux époux.

Moins élaborée que la précédente quant aux motifs du divorce, cette loi apporte davantage de précisions sur les arrangements découlant du divorce, soit à propos des pensions alimentaires et de la garde des enfants.

En ce qui a trait aux obligations alimentaires entre conjoints, le Code de la famille avait déjà stipulé une application du principe d'égalité juridique des époux: si le divorce «laisse subsister les droits et les devoirs des père et mère à l'égard de leurs enfants» (art. 568), il «éteint le droit qu'avaient les époux de se réclamer des aliments» (art. 560) à moins d'une ordonnance du tribunal à cet effet. La loi de 1985 sur le divorce va dans le même sens, précisant que l'ordonnance de pension au profit du conjoint doit «favoriser, dans la mesure du possible, l'indépendance des deux époux dans un délai raisonnable» (d'après Joyal, 1987). La loi stipule également que les tribunaux doivent tenir compte des besoins et des ressources de chacun. Mais plusieurs s'inquiètent de la façon dont la loi sera appliquée. De telles dispositions ne risquent-elles pas de laisser pour compte des femmes au foyer dont l'histoire matrimoniale n'a pas rendu possible l'autonomie économique? Pour elles, égalité juridique des époux a été loin de signifier égalité socio-économique et elles en sont maintenant pénalisées. Des avocates ont débattu des tendances actuelles de la jurisprudence à ce sujet (Dulude, 1984: 50-57) et certaines posent pertinemment le problème:

> Dans le domaine des pensions alimentaires, la jurisprudence évolue et certaines femmes, qui recevaient une pension depuis plusieurs années, se sont retrouvées du jour au lendemain au seuil de la pauvreté (Duguay, 1985: 88).

> Donc au nom de l'égalité et de l'autonomie, on abolit [...] les mesures protectionnistes que constituaient pour les femmes les pensions alimentaires sans pour autant établir des mécanismes pouvant concrètement les aider à parvenir à l'autonomie économique (Côté, 1982: 22).

On pourrait penser qu'à défaut d'une pension alimentaire, ces femmes au foyer pourraient se prévaloir, au Québec, de la prestation compensatoire prévue par le nouveau Code civil. Mais ici encore on se bute à une jurisprudence contradictoire, qui en freine l'application: si la Cour supérieure s'est montrée plus réceptive sur cette question, il en a été autrement de la Cour d'appel dont «l'interprétation... fait actuellement obstacle à une application large et remédiatrice de cette mesure» (Joyal, 1987).

En réalité, il faut convenir que, non seulement au profit des ex-conjoints[20], mais surtout des enfants, l'allocation et le versement des pensions alimentaires posent un très grave problème: dans un Forum sur le droit de la famille, organisé par un organisme gouvernemental canadien juste avant l'adoption de la nouvelle loi sur le divorce, la question était clairement formulée:

Force nous est de reconnaître, d'emblée, les très faibles montants des ordonnances alimentaires rendues par les Tribunaux à l'égard des ex-conjoints et des enfants. Une étude récente signale, en outre, que «les quelques recherches disponibles montrent que [...] 50 % à 75 % des ordonnances ne sont pas respectées et qu'un grand nombre de paiements sont considérablement en retard». L'exécution inadéquate des ordonnances alimentaires résulte d'une législation fautive. Dans le cas qui nous occupe, la loi ne satisfait pas aux besoins de ceux et celles qu'elle entend protéger (Sloss, 1985: 2).

La Loi de 1985 sur le divorce a-t-elle répondu à ces attentes? Sans doute, partiellement, car elle précise davantage que la loi précédente les principes et dispositions devant régir, après la désunion, les droits et devoirs des parents à l'égard des enfants. C'est désormais le «meilleur intérêt de l'enfant» (C.C. B.C. art. 30), et non «la faute» invoquée pour obtenir le divorce [loi de 1985, art. 16 (9)], qui doit guider le juge dans l'attribution de la garde des enfants à l'un des parents (voir Filion, 1987); d'autre part, les «aptitudes parentales» doivent être examinées en termes de situation et de besoins de l'enfant autant que de ressources des parents.

Si la nouvelle loi canadienne libéralise le divorce et prend davantage en considération le point de vue des enfants, on peut se demander, comme pour le nouveau Code civil, comment elle sera appliquée. Parmi les nombreuses questions qui pourraient être soulevées à ce chapitre, retenons-en quelques-unes. La garde partagée, considérée par plusieurs comme une nouvelle panacée, est-elle appropriée à toutes les désunions? Les intérêts des enfants et des mères sont-ils bien sauvegardés dans cette formule (voir Joyal, 1985)? Comment le législateur entend-il s'assurer de l'exécution des ordonnances alimentaires prescrites par les tribunaux? Qu'attend-on pour instaurer, comme au Manitoba[21], une perception automatique des pensions? Quand le gouvernement fédéral mettra-t-il en place le bureau d'investigation des débiteurs de pension alimentaire, prévu dans la loi n° 48, adoptée en juin 1986[22]?

L'année où il adopte son nouveau code de la famille[23], le gouvernement québécois promulgue une *Loi pour faciliter la perception des pensions alimentaires*. La législation s'imposait: une étude récente (Devost, 1979: 86) montrait que les ordonnances de pension n'étaient respectées que dans deux cas sur cinq; de nombreuses familles monoparentales devaient s'en remettre à l'aide sociale à défaut d'une aide adéquate du père ou mari; enfin les associations familiales concernées par ce problème insistaient pour que l'État intervienne dans le dossier.

Mise en vigueur en 1981, cette loi a établi des bureaux de perception dans 56 localités de la Province pour recevoir les demandes des créanciers de pensions, qui sont très majoritairement des femmes. Cependant, pour être éligibles à ces services, les créancières doivent avoir déjà obtenu une ordonnance de pension alimentaire[24]. Entre 1981 et 1984, les bureaux de perception ont traité 20 000 demandes, ont exigé et distribué des montants s'élevant à 10 millions de dollars. Ainsi des «mauvais payeurs» ont été retracés, notamment 1 926 débiteurs, poursuivis par l'intermédiaire du ministère des Affaires sociales pour le bénéfice de familles assistées; mais en bout de ligne, les sommes ainsi récupérées ne vont pas aux familles elles-mêmes mais sont presque entièrement récupérées par l'État[25]. Le service de perception ne rejoint toutefois pas tous les «délinquants»: le tiers des débiteurs ne sont pas retrouvés; parmi ceux qui le sont, le quart s'opposent à la saisie de leur salaire (ce que la loi permet car la perception n'est pas automatique), ou ils «aménagent leur insolvabilité» par toutes sortes de moyens (Richer, 1985: 21). En 1987, plus de six ans après son implantation, on attend toujours les résultats d'un sondage destiné à évaluer l'impact du service de perception québécois[26].

Ces très légitimes mesures pour forcer le respect des obligations des pères à l'endroit de leurs enfants permettent de deviner *le vécu difficile des femmes chefs de familles monoparentales* pendant toute cette période. L'impunité relative des nombreux pères irresponsables après les désunions demeure un indice important de l'inégalité des sexes, malgré des efforts de transformation du droit matrimonial.

Depuis la décennie 70, l'appareil judiciaire s'ingère davantage dans la société matrimoniale, même en droit criminel. Ainsi, il importe de souligner que le viol entre époux est réglementé depuis 1982 par l'inscription de la notion d'«agression sexuelle» entre époux et la possibilité d'inculper un conjoint à ce motif.

Pendant la période 1970, des groupes se formeront pour appuyer les changements matrimoniaux et assurer entraide, support, information juridique et sociale à tous ceux qui doivent faire appel à l'appareil judiciaire, notamment aux familles monoparentales, pour lesquelles peu de services publics spécifiques et adéquats sont prévus. C'est devant ce manque qu'est fondé au début des années 70, un premier groupe d'entraide québécois, Ano-Sep (abréviation de Anonymes-séparés), puis, pour regrouper les efforts des associations nées par la suite un peu partout dans la Province, le Carrefour des Associations de familles monoparentales: après 1974, le Carrefour constitue un groupe de pression auprès des organismes gouvernementaux pour attirer l'attention sur la pauvreté de leurs membres et pour obtenir des services ou des droits. Le Carrefour, qui a compté jusqu'à 75 associations membres, s'est transformé en Fédération depuis 1984. Au début de la décennie 1980, les associations de monoparentales se sont alliées à d'autres associations familiales, à des syndicats ou groupes de femmes pour former des «fronts communs» afin de réagir aux nouvelles législations[27].

L'Église: une certaine tolérance
malgré une position doctrinale inchangée

Si l'institution du droit paraît s'adapter assez rapidement aux nouveaux rapports entre les sexes et à l'impact de ce changement sur la vie matrimoniale, il en est autrement de l'Église catholique. À côté de changements mineurs à son rituel de mariage, d'un assouplissement des normes et d'une nette tolérance des éléments progressistes du clergé québécois, persiste une rigidité marquée, étant donné que les positions doctrinales de l'Église romaine demeurent quasi inchangées, aussi bien sur le contrôle des naissances que sur l'indissolubilité du mariage. On doit par ailleurs constater que pendant la période 1970-1985, la pratique religieuse continue de baisser. Sans perdre toute son influence, il est donc clair que l'Église n'a plus l'hégémonie qu'elle exerçait encore, en 1960, dans le domaine de la morale conjugale.

Dans la foulée de Vatican II et «pour souligner davantage les devoirs des époux» (plutôt que de l'épouse seule) (Bulletin... 1969: 15), l'Église adopte certains changements à son rituel du sacrement de mariage: appliqués à partir de 1970 (Bulletin... 1970: 283), ils ne prendront une forme définitive dans le rituel canadien qu'en 1983. Si l'épouse seule promet encore obéissance et fidélité à son conjoint, les époux s'engagent désormais à un support mutuel[28].

Les cours de préparation au mariage instaurés dans l'après-guerre sous l'égide de l'Église, perdent peu à peu leur clientèle au début de la décennie 70. Mais quelques années plus tard, est implanté au Québec, en provenance des États-Unis, le Renouement conjugal (Marriage Encounter) qui, en peu de temps, incitera plus de 60 000 couples à vivre le «fameux week-end» du renouement (Roy, 1985: 119). Fortement inspiré des techniques de la psychosociologie (Caron, 1985: 179-199), ce modèle d'intervention aura une influence marquée sur la pastorale auprès des couples: on assiste au «passage de la prédication à des sessions d'animation» (Caron, 1985: 181), et d'anciens organismes d'encadrement des couples et des familles (par exemple Foyers Notre-Dame et Service d'orientation aux familles) font peau neuve et connaissent une popularité accrue. Ainsi l'Église cherche-t-elle à se faire, à nouveau, «conseillère matrimoniale»: après un week-end d'animation, on verra donc, dans plusieurs paroisses catholiques, des couples déjà mariés afficher des gestes de réconciliation ou de consolidation de leurs liens, gestes parfois intégrés au rituel de la messe dominicale et qui témoignent aux yeux de la communauté paroissiale de la stabilité de leur union[29]. Ces approches nouvelles ne changent pas fondamentalement la doctrine matrimoniale. Une analyse des groupes intervenant auprès des couples montre qu'en dépit d'une ouverture sur un «modèle de conjugalité axé davantage sur le privé et la vie affective», est toujours maintenu un «modèle de couple chrétien, fidèle à ses engagements» (Caron, 1985: 198).

Les positions officielles de l'Église sur le mariage demeurent donc assez inflexibles (Caron et Gaumond, 1985: 21). Après qu'en prévision d'un Synode romain, l'Église canadienne ait souligné la «place de premier choix» qu'elle accordait au mariage et à la famille (CECC, 1980: 11), le Code de droit canonique version 1983, a tout au plus élargi les motifs d'annulation de mariage: sont admis «l'absence de jugement du partenaire sur les droits à donner et à recevoir le mariage» et «l'incapacité d'une personne à assumer les obligations essentielles du mariage pour des causes psychiques». Mais l'Église ne permet toujours pas le mariage religieux à ses divorcés qui, en principe, ne peuvent être des fidèles à part entière.

Les catholiques divorcés doivent donc se tourner vers le mariage civil, accessible aux Québécois depuis avril 1969 et qui se gagne lentement des adeptes: si les premières années, les mariages civils ne comptent que pour 2 % des célébrations, en 1982, ils atteignent le pourcentage de 21,8 % (voir annexe tableau 3). Se marier civilement attire principalement les Montréalais et les divorcés catholiques (Roy, 1977: 8, 11 et 23).

Est-ce pour conserver ses fidèles que l'Église canadienne a accordé, de nombreuses annulations de mariages, à la faveur de la nouvelle version du droit canonique qui élargit les motifs d'annulation? En 1984, elle a en effet autorisé 2 094 annulations de mariage, ce qui aurait fait dire au pape Jean-Paul II que ce nombre excessif était «scandaleux». La libéralisation des moeurs sexuelles et conjugales dans les pays occidentaux occasionne une tension grandissante entre la hiérarchie romaine et les éléments progressistes des clergés de ces pays.

Les politiques sociales et fiscales de l'État face aux transitions matrimoniales

Les années 70 voient se confirmer le rôle de l'État, au détriment de l'Église, comme institution-pivot encadrant la famille. Le *régime universel d'assurance-santé*, implanté en début de décennie, en est une application: dans le domaine de la vie dite privée et de sa sphère domestique, l'appareil sanitaire institué consacre ainsi le médecin comme conseiller (laïc et non plus religieux), en particulier auprès des femmes[30]: celles-ci accentueront le rythme de leur consultation pour les événements de leur sexualité, de leur fécondité et du soin de leurs enfants; et pour les mille et un «malaises» de la vie quotidienne, le médecin leur prescrira souvent des tranquillisants chimiques. C'est ce que certaines femmes et de nombreux groupes féministes ont dénoncé comme la «médicalisation du vécu des femmes» (Guyon, Simard et Nadeau, 1981: 23).

La même année, l'État commence à implanter des *centres locaux de services communautaires* (C.L.S.C.) destinés à être l'institution de «première ligne», sorte de relais entre la population d'une part et, d'autre part, les hôpitaux, les centres de services sociaux et les autres services étatiques ou communautaires. S'y retrouvent divers experts destinés à devenir les nouveaux porte-parole de la «morale» familiale et conjugale: outre des médecins et infirmières, des psychologues, travailleurs sociaux, conseillers matrimoniaux et organisateurs communautaires. Telles les églises et les caisses populaires d'antan, les C.L.S.C. permettent à l'État d'avoir dorénavant «pignon sur quartier[31]». Même si la fonction de relais prévue pour les C.L.S.C. dut être partiellement abandonnée après 1975, les fonctions de «gestion» et d'assistance auprès des catégories exclues de la population, continueront d'être exercées par ces institutions, de concert avec les *centres de services sociaux* (C.S.S.), dont les interventions auprès des familles concerneront surtout la protection de la jeunesse (CCPF, 1986: 116). Et dans le domaine matrimonial, C.L.S.C. et C.S.S. offriront des thérapies de couples et un certain soutien aux familles qui vivent des deuils, abandons ou ruptures conjugales problématiques. Mais ce soutien est insuffisant: une étude récente (Renaud *et al.*, 1987: 246-249) a montré que les femmes responsables de familles monoparentales sont nettement moins satisfaites que la population en général des services que l'État met à leur disposition, notamment dans les C.S.S. et les C.L.S.C.

Outre son offre de services socio-sanitaires, on peut estimer que l'État joue un rôle dans l'évolution du mariage par l'effet de ses politiques sociales et fiscales. Il n'est pas question dans ces lignes de faire une analyse exhaustive de telles politiques ni d'en mesurer les liens avec les modes de vie mais de suggérer quelques rapports entre de telles interventions et les transitions qu'a subies le système matrimonial entre 1970 et 1985. Quelques-unes de ces politiques seront abordées: les programmes d'aide sociale et d'allocations familiales, certaines mesures fiscales pour les particuliers et certains aspects des régimes de retraite.

Destiné à procurer un revenu minimum aux personnes et ménages privés de moyens de subsistance, *le programme d'aide sociale* est mis en application en 1970, soit un an après la mise en vigueur de la Loi sur le divorce. Il était conçu pour intégrer plusieurs régimes antérieurs d'assistance: des programmes instaurés dans les années cinquante, pour aider les invalides et handicapés de toutes catégories, et concernant les personnes aptes au travail qui avaient épuisé leur recours à l'assurance-chômage; enfin était également intégré le programme des mères nécessiteuses, qui avait été en vigueur de 1937 à 1969.

L'intégration du programme des mères nécessiteuses au régime d'aide sociale se fait toutefois avec certaines modifications: sont admises, comme bénéficiaires d'aide sociale, toutes les mères sans alliance, sans discrimination en ce qui a trait à l'état civil: pour la première fois, les démunies qui sont célibataires et celles qui sont divorcées ou séparées pour d'autres motifs que l'abandon du conjoint peuvent bénéficier d'un programme d'assistance. D'autre part, pour toucher leur prestation, il n'est plus exigé des mères sans alliance qu'elles obtiennent, chaque mois, l'approbation d'un notable de leur entourage (mais elles ne pourront cohabiter «maritalement» avec un homme sans perdre leur prestation). La levée de telles restrictions et surveillances fait mesurer, de nos jours, les contraintes qui pesaient sur la vie des mères qui, pour une raison ou une autre, n'avaient pas de mari ou ne pouvaient vivre avec lui[32]. Dernière modification: le terme même de mère nécessiteuse disparaît du vocabulaire technocratique au profit de celui de famille monoparentale. Mais cette dernière appellation, asexuée, recouvre une réalité assez analogue: les chefs féminins sont largement majoritaires et, même en

1985, 95 % des familles monoparentales à l'aide sociale sont sous la responsabilité d'une mère (Bellware et Charest, 1986: 1). La présence majoritaire des familles monoparentales parmi les familles bénéficiaires de l'aide sociale est une indication essentielle de leur extrême pauvreté[33] qui réfère d'ailleurs elle-même à la pauvreté des femmes dans notre société (Saint-Jean, 1987). Depuis 1970, le nombre de familles monoparentales assistées a augmenté chaque année (comme ce type de famille augmentait dans la population d'ailleurs): en 1975[34], on en comptait 46 042, en 1980, 64 008 et en 1985, 84 962 (Gouvernement du Québec, 1987: 48). Mais leur proportion parmi les prestataires d'aide sociale a diminué entre 1975 et 1985 de 23,2 % à 20 %. Peut-on expliquer une telle baisse par une autonomie économique grandissante des femmes? ou par des interventions de l'État destinées à réduire le nombre de ménages assistés parmi les familles monoparentales? Il est permis de concevoir qu'à l'adresse des mères seules et démunies, les mesures suivantes ont pu être à la fois désincitatives à l'aide sociale et incitatives au travail: subventions pour les services de garde aux parents les plus démunis (1974); programme de supplément de revenu de travail [dès la première année (1980), ce programme a comporté une proportion élevée (38 %) de femmes seules avec enfants (A. Gauthier, 1985: 283)]; réduction du nombre d'enfants admissibles à l'aide sociale (de trois à deux); indexation réduite des prestations d'aide sociale; amendement pour permettre aux chefs de famille monoparentale de poursuivre des études postsecondaires sans perdre leur droit aux prestations.

Le nombre élevé de mères sans alliance à l'aide sociale a certes préoccupé des politiciens, des fonctionnaires et certains secteurs de la population. Faut-il aller jusqu'à dire que ce programme fut «désincitatif au mariage», comme l'a affirmé en 1980, un économiste québécois sur la base de calculs économétriques appliqués à divers programmes sociaux (Lefebvre, 1980: 367)? La question est si complexe que nous ne prétendons pas y répondre. Faute d'études suffisamment poussées de la question, on peut examiner les choses autrement. Plutôt que parler de désincitation au mariage d'un strict point de vue économique (Lefebvre, 1980), il est plus juste de considérer ce programme comme une *alternative au mariage* (Bernard, 1979: X) et de situer

la discussion dans le contexte plus large de la très nette libéralisation des moeurs et des modes de vie qui a marqué non seulement le Québec mais la plupart des sociétés occidentales depuis
les années 60. En effet, des lois ont concrétisé une telle libéralisation (le divorce, l'égalité juridique des conjoints, etc.) et même
s'il ne leur offre pas encore un «salaire familial», le marché du
travail s'est ouvert davantage aux femmes, quel que soit leur âge
et leur état matrimonial: c'est précisément dans cette double
conjoncture que la maigre allocation d'aide sociale a représenté,
sur le plan économique, pour plusieurs femmes, une alternative
valable à la subsistance du mari ainsi qu'au «salaire d'appoint»
qu'offre le marché «féminin» du travail. Dans la vie des mères
sans alliance, il s'est agi d'une alternative *temporaire* pour la
plupart (Drolet et Lanctôt, 1984); d'une alternative *inadéquate*
pour toutes, les obligeant à vivre, avec leurs enfants, sous le seuil
de pauvreté; d'une alternative pas toujours pire, cependant, que
celle qui existait dans la situation conjugale antérieure, là où le
salaire du mari n'était pas distribué équitablement dans le
ménage; enfin, d'une alternative *nécessaire* pour secourir ces
mères seules et *pour assurer la transition* entre la dépendance
économique des femmes et leur autonomie, entre un mariage
traditionnel et un mariage plus égalitaire. Et on peut concevoir
qu'un programme comme l'aide sociale (ou son équivalent)
devrait se maintenir aussi longtemps que cette transition ne sera
pas arrivée à son terme.

Dans la mesure où elles ont représenté une autre source de
revenus pour les mères sans alliance, les *allocations familiales* ont
complété, entre 1970 et 1985, les prestations d'aide sociale. Elles
iront jusqu'à constituer, pour les mères assistées les plus démunies, le quart de leurs revenus (voir Dandurand, 1982: 231). Ce
programme, instauré en 1945, a connu deux transformations majeures dans la décennie 70. Les allocations ont été en 1974 triplées, indexées au coût de la vie et sujettes à l'impôt sur le revenu;
puis, dans le contexte de la crise fiscale qui a ébranlé les états
occidentaux et qui a entraîné certaines coupures, elles ont été
réduites et le gouvernement fédéral a greffé à ce programme
universel le crédit d'impôt pour enfants qui, depuis 1978, est versé
aux mères et fournit une aide supplémentaire aux familles à bas
revenus[35]. S'y ajoutera en 1981 au Québec, l'allocation de disponibilité, léger supplément destiné aux mères d'enfants d'âge pré-

scolaire, qu'elles soient salariées ou non (cette allocation n'a pas
été indexée depuis son implantation). En 1985 enfin, un gouvernement fédéral conservateur fait adopter une loi (C-70) désindexant
les allocations familiales, et ce, malgré la protestation d'une centaine de groupes de citoyens québécois, principalement issus du
Mouvement des femmes. Les mesures prises en 1985 et 1986 par
le gouvernement québécois pour réduire le fardeau des allocations familiales sont plus subtiles: par le biais de la fiscalité, les
prestations provinciales sont en pratique remboursées à l'État par
plusieurs familles et les prestations fédérales sont, elles, impo-
sées. Les allocations familiales étant une ressource collective,
redistribuée aux femmes pour les soins qu'elles assurent aux
enfants, ces mesures fiscales réduisent cette redistribution et
partant, accroissent à nouveau la dépendance économique et la
contrainte matrimoniale sur les femmes[36].

Ces restrictions fiscales à toutes les familles s'ajoutent à
d'autres, qui touchent les familles monoparentales, donc les
mères sans alliance. Les chefs de ces familles ont toujours eu la
possibilité, dans leur impôt, de réclamer l'équivalent d'une
exemption de personne mariée pour le premier enfant. Avec le
budget Duhaime de 1985, cette exemption est «gelée» pour les
familles monoparentales alors qu'elle est augmentée progressivement pour les familles biparentales[36]. Des chercheurs de l'INRS-
Urbanisation (Le Bourdais et Rose, 1986: 186, 187) commentent
ces décisions:

> Ces nouvelles mesures fiscales, non seulement heurtent financière-
> ment les familles monoparentales à revenu faible ou modeste, mais
> constituent «une incitation au travail au noir» tout en tentant d'impo-
> ser «un modèle de famille où la femme devra rester au foyer».

Dans un document de réflexion sur les programmes de
soutien aux familles dans le besoin, la Confédération des syndicats nationaux (1987: 24) déplore, de façon plus globale, le recul
que les familles monoparentales subissent face aux politiques
sociales de l'État:

> Malheureusement, les autorités [ont décidé] non pas de revoir les
> critères d'admissibilité aux programmes sociaux visant les familles

monoparentales mais plutôt de réduire de façon significative la portée de ces programmes. Il en résulte un net appauvrissement des familles monoparentales [...] et une pression sociale pour retourner au modèle traditionnel de la famille.

Si, pendant une période de mutation de modes de vie familiaux, l'État a dû pallier les défaillances du marché matrimonial un peu comme il l'avait fait, depuis la dernière guerre, pour le marché du travail, il a dû minimalement *adapter* ses *politiques sociales* et *fiscales* à la «nouvelle égalité» des conjoints qu'il a lui-même préconisée à travers son appareil juridique. Comme pour les autres changements sociaux reliés au mariage, cette adaptation ne s'est pas faite d'elle-même mais, le plus souvent, sous la pression des groupes de femmes eux-mêmes, qui, après étude d'une question, présentaient des mémoires aux ministères ou aux autres pouvoirs publics concernés, en même temps qu'ils alertaient les médias. Leurs idées et leurs actions ont été répercutées et parfois coordonnées par cet organisme consultatif de l'État provincial, fondé en 1973, le Conseil du statut de la femme (C.S.F.)[37].

C'est sous la coordination du C.S.F. qu'est formulée en 1978 une *politique d'ensemble de la condition féminine*. Comme l'indique son titre, *Égalité et indépendance*, la problématique élaborée est fort voisine de celle du rapport Bird et vise à assurer aux femmes l'égalité par l'autonomie économique. Pour ce faire, il importe qu'elles aient la liberté de choix entre le foyer et le travail, et que soient dissociées les tâches reliées à l'entretien du mari d'une part, au soin des enfants d'autre part: seul ce dernier volet est vu comme un service «collectif», l'autre étant considéré d'ordre privé. Ces principes, qui soulignent la distinction entre famille et mariage, sont à la base des recommandations fiscales de cette politique. Dans le domaine familial, est recommandée une abolition des exemptions et déductions fiscales, car celles-ci sont versées au salarié (en général le père ou mari) et constituent de ce fait une entrave à la liberté de choix des femmes entre le travail et le foyer. Seront plutôt préconisés des allocations ou crédits d'impôt permettant de reconnaître le travail de la mère ou du parent qui s'occupe des enfants. La plupart de ces mesures sont reprises dans certaines recommandations du rapport de consultation sur la politique familiale (CCPF: 1986, 57-62).

Mais depuis 1985, le gouvernement provincial est déjà allé à l'encontre de ces recommandations du C.S.F. et du C.C.P.F. et proposé des options fiscales régressives. Selon l'analyse de l'économiste Ruth Rose[36], dans le budget Duhaime (1985) et les applications qui s'ensuivent, on note plusieurs mesures fiscales susceptibles de réduire l'autonomie économique des femmes dans les familles: outre le maintien des exemptions ou déductions au profit du principal salarié du ménage, outre la nécessité de rembourser les allocations familiales pour plusieurs familles, le fardeau d'imposition des ménages à double soutien est alourdi et les exemptions pour frais de garde sont réduites, ce qui implique des obstacles additionnels, pour les femmes mariées, à leur travail à l'extérieur du foyer. L'État ne cherche donc plus à ajuster ses politiques fiscales à cette égalité des conjoints qu'il avait pourtant proposée dans son nouveau Code de la famille.

Dans la première moitié de la décennie 1980, la *réforme des régimes de retraite* a mobilisé plusieurs groupes de femmes, parfois avec le concours de syndicats. On sait que les régimes publics et mixtes de rente ainsi que les autres pensions versées par le secteur privé ont été conçues pour les salariés seulement. Leurs dépendants, en particulier les épouses, n'en reçoivent que des avantages dérivés (rentes au conjoint survivant par exemple) et vivent donc dans une situation de pauvreté maintes fois dénoncée. Dans la double intention de faire reconnaître le travail domestique des femmes et de leur assurer une certaine autonomie économique, surtout en cas de bris d'union, plusieurs groupes féminins et syndicaux ont demandé une augmentation et une plus juste répartition des sommes versées au titre de pensions: ainsi les femmes ont demandé pour celles qui sont au foyer une rente personnelle et non plus dérivée. S'il est assuré que l'indexation des pensions publiques se maintiendra au moins au seuil de la pauvreté, la rente pour femme au foyer demeure, en 1987, encore à l'étude aux deux paliers de gouvernement[38].

Il importe enfin de noter que, depuis la crise de 1982 en particulier, divers services de l'État-providence (aide aux personnes âgées, malades et handicapées) ont été l'objet de coupures de budget et de mesures de désinstitutionnalisation[39]. Est-il nécessaire de rappeler que ce retrait de l'État équivaut à une responsabilisation accrue des familles et surtout des femmes dans les familles (Guberman, 1987)? Il y a là tout un domaine inexploré et qui apparaît manifestement avoir pour effet une relégation des femmes à la sphère domestique, relégation soi-disant justifiée par la crise économique.

Voilà donc un aperçu des interventions récentes de l'État, dans le domaine des politiques sociales et fiscales, pour s'adapter ou résister à la transition entre un modèle traditionnel et un modèle plus égalitaire de mariage. Une intervention plus spécifique de l'État sera amorcée dans les années 80, concernant la formulation d'une politique familiale.

La consultation sur la politique familiale:
la solidarité des sexes _vs_ la restauration du mariage
traditionnel

Mise en place en 1984, la consultation sur la politique familiale sera l'occasion d'un débat public entre divers groupes de la société à propos des anciens et des nouveaux modèles de la vie familiale et matrimoniale (Dandurand, 1987a).

Si cette consultation a surtout porté sur le soutien collectif à assurer aux parents, les discussions ont également abordé l'instabilité du mariage, notamment ses effets potentiels sur la vie des enfants. Certains groupes familiaux et féminins ont préconisé un retour à des normes traditionnelles (exclusivité, indissolubilité du mariage, place des mères au foyer et partant retour au modèle ménagère/pourvoyeur pour tous les couples avec jeunes enfants). Bien que portés par une minorité, ces discours conservateurs ont reçu audience, notamment parce qu'ils convergeaient avec ceux de certains politiciens et fonctionnaires qui, pour alléger les dépenses publiques, cherchent ouvertement depuis les années 80 à réorienter les politiques sociales et fiscales.

Dans les débats sur la politique familiale, ces vues conservatrices ont été en opposition avec d'autres idéologies et intérêts: avec ceux des groupes familialistes libéraux, qui ont préconisé le respect des «valeurs et choix de vie personnels et culturels des parents» (CCPF, 1986: 13); avec ceux des groupes féministes, qui ne veulent à aucun prix un recul, vers le rétablissement d'un modèle familial monolithique obligeant plus ou moins les femmes à regagner la sphère domestique afin de s'occuper des enfants, des malades et des personnes âgées, ce qui les placerait à nouveau sous la contrainte matrimoniale d'antan.

Plutôt que le retour aux modes de vie d'autrefois, le comité de consultation sur la politique familiale a pris le parti d'endosser le changement social et d'appuyer les vues des familialistes libéraux ainsi que certaines demandes du Mouvement des femmes. Le Comité a réclamé que le soutien collectif pour les parents se fasse dans le respect de l'autonomie des personnes et de l'équité des sexes, mais aussi dans «la solidarité des hommes et des femmes». Il laisse entendre également qu'un meilleur soutien collectif aux parents pourra freiner les dissolutions conjugales. En faisant de la «solidarité des sexes» une orientation majeure de leur rapport (CCPF, 1986: 31, 32), les membres de ce comité ont voulu marquer que l'autonomie des conjoints dans la famille ne signifiait pas nécessairement l'individualisme forcené et qu'après une décennie de rapports assez conflictuels entre les sexes, il fallait prendre les «moyens» pour qu'une certaine «solidarité» se rétablisse dans le couple afin d'assurer une meilleure «qualité de vie» familiale. On peut voir dans cette orientation un compromis entre la restauration d'un mariage traditionnel, manifestement inégalitaire, réclamée par les factions conservatrices et, d'autre part, l'aspiration encore utopique à une union tout à fait égalitaire recherchée par les féministes.

Le Mouvement des femmes: un acteur essentiel des changements matrimoniaux sur la scène publique

Par les multiples pressions exercées, surtout auprès de l'État mais aussi auprès des pouvoirs économiques, médicaux ou ecclésiaux, on peut considérer que le Mouvement des femmes a joué un rôle public central depuis 1970 dans les changements reliés à la vie privée et notamment aux institutions matrimoniales, pour lesquelles ont été proposées de nombreuses solutions possibles, nouvelles et concrètes. Sans reprendre les multiples interventions de ce Mouvement notées dans le présent chapitre, rappelons que des transformations comme celles de la vie matrimoniale se font sous l'instigation de nombreux acteurs, individuels et sociaux, dont certains jouent un rôle plus visible sinon plus marquant. Il apparaît assez clair que des alliances se sont faites à certains moments entre des groupes ou organismes de femmes et des éléments progressistes de la société: entre autres, avec les partisans de l'implantation de divers programmes de l'État-providence (avec les syndicats notamment), avec les tenants de la libéralisation du droit familial ou avec les partisans de mesures collectives pour concilier travail et maternité. Mais en d'autres domaines qui concernaient plus exclusivement le respect et le bien-être des femmes, le Mouvement des femmes a été la plupart du temps le seul interlocuteur de l'État. Ainsi en fut-il dans les dossiers concernant l'avortement, le viol, la violence conjugale et la lutte contre le harcèlement sexuel.

Pendant les quinze dernières années, le Mouvement des femmes au Québec a rallié des femmes de toutes conditions: jeunes et vieilles, mariées, célibataires et divorcées, rurales et urbaines, professionnelles, employées ou femmes au foyer; en 1985, la présidente du Conseil du statut de la femme estimait à 1 500 le nombre de groupes québécois qui défendaient les intérêts des femmes. Si au début de la décennie 1970, ces groupes ont exercé des fonctions de conscientisation de leurs membres et de pression auprès des pouvoirs publics, après 1975, ils s'imposeront également dans le champ des services (Ouellette, 1986: 5-7), notamment pour pallier les insuffisances des services étatiques à l'endroit des femmes. L'essor et la multiplication de ces groupes de services se fera surtout entre 1980 et 1983, à la faveur de programmes d'emplois communautaires offerts par les deux paliers de gouvernement (Ouellette, 1986: 41). Ainsi seront mis en place les services suivants: «centres de santé des femmes», qui assurent information sanitaire et services médicaux, y compris l'avortement et l'accouchement à la maison; les centres de placement et de réinsertion au travail pour les femmes; les «centres de femmes», qui dispensent information et consultation générale à environ 200 000 femmes, presque toutes au foyer, dans les quartiers des villes ou dans les petites villes de la Province; «centres d'aide et de lutte contre les agressions sexuelles» et enfin «maisons d'hébergement pour femmes battues», dont l'implantation a contribué à rendre visible un phénomène jusqu'alors occulté dans le secret des maisons, la violence conjugale.

Implantées à partir de 1976, les maisons d'hébergement pour femmes violentées ont été fondées sous l'instigation de groupes de femmes (Gouvernement du Québec, 1985: 12), sans l'appui officiel des services socio-sanitaires et, au départ, sans subvention ou avec une aide minime des pouvoirs publics. Comme leur nom l'indique, ces maisons ont accueilli des femmes qui, sous la violence maritale, devaient quitter le ménage familial avec leurs enfants[40]; en plus d'offrir l'hébergement, le personnel assiste les femmes dans leur réflexion et leur démarche pour échapper à la violence du mari. En 1985, il existait dans la Province plus d'une soixantaine de ces refuges, qui accueillaient annuellement 6 000 femmes et 4 000 enfants, ce qui est peu en comparaison de l'ampleur du problème: on considère en effet que «près de 300 000 femmes de plus de 15 ans seraient victimes de violence conjugale, quelle qu'en soit la forme» (*ibid.*: 10). Par sa récente politique d'aide aux femmes violentées, le Gouvernement provincial subventionne la moitié de ces refuges. Mais de telles mesures de soutien sont jugées nettement insuffisantes par le Regroupement provincial qui représente 44 de ces maisons: certains établissements doivent fermer leurs portes faute de ressources, alors que les problèmes de violence conjugale apparaissent de plus en plus visibles à l'opinion publique. Les médias traitent maintenant plus ouvertement de la violence conjugale, portant à l'attention du public les meurtres commis par les conjoints: on rapporte ainsi que, d'après le Conseil canadien de la statistique juridique, «au Québec, entre 1981 et 1985, 84 femmes ont été assassinées par leur mari ou leur compagnon» (*Le Devoir* 21/04/87), chiffre qui représenterait près d'un meurtre sur cinq dans les statistiques criminelles de la même période. Des groupes d'assistance et de thérapie pour des hommes violents s'implantent depuis quelques années. Soulignons en outre que le

Comité de consultation sur la politique familiale consacre à ce problème 17 de ses 135 recommandations (CCPF 1986: 127-134).

Il va sans dire que l'existence de groupes de services préoccupés de violence conjugale (maisons d'hébergement), d'isolement (centres de femmes) et de pauvreté des femmes (centres de placement ou de réinsertion au travail, surtout pour les mères sans alliance) est intimement liée aux transitions matrimoniales des dernières décennies. Depuis 1984, la parcimonie croissante que manifeste l'État à subventionner ces groupes[41] laisse entrevoir que bien des femmes seront à nouveau laissées à leurs seules ressources face aux difficultés conjugales. Ce n'est pas sans une certaine amertume que les centaines de groupes de femmes qui ont répondu à l'enquête de Françoise Romaine Ouellette (1986: 41) ont manifesté leurs inquiétudes:

> [...] sans les programmes de création d'emplois communautaires, qui se sont multipliés dans les années 1980, les femmes auraient-elles pris leur place dans le secteur des services? Si elles avaient pressenti à quel point les gouvernements s'appuieraient sur les organismes bénévoles pour alléger leurs responsabilités à l'égard des services sociaux, de santé et d'éducation, les femmes se seraient-elles engagées autant dans la mise sur pied de ressources communautaires?

C'est une interrogation des plus actuelles dans le contexte, évoqué précédemment, du retrait de l'État dans l'assistance aux personnes qui, en raison de l'âge, de la maladie ou de l'infirmité, vivent en retrait des tâches productives.

Les médias: la représentation des nouveaux modèles familiaux

Avant de terminer la présente section sur le mariage dans la société québécoise des années 1970 à 1985, il convient de s'arrêter aux moyens de communication de masse. À la frontière du domestique et du public, les médias électroniques, en particulier la télévision, continuent d'exercer une influence qui est loin d'être encore mesurée ni même décrite. Or, la télévision assure une présence importante dans les maisonnées: pendant les années 1970, plus de 97 % des foyers québécois en sont dotés (Czarnocki et Caldwell, 1977: 31) et au milieu des années 80, on constate que les Canadiens consacrent la moitié de leur temps de loisir à la télévision. Quant à l'influence des médias, la sociologue Lilian Rubin (1976: 121) souligne pertinemment que dans les familles ouvrières américaines qu'elle a interrogées, les médias sont des véhicules privilégiés de la représentation, sinon de la transmission, de nouvelles normes conjugales et familiales pour lesquelles «for both women and men [...] there are no models in their lives for the newly required and desired behaviors».

Ainsi, il n'est pas besoin de faire une recherche poussée pour constater que, depuis les années 1970, des modèles familiaux autres que la famille conjugale traditionnelle ont été colportés à travers les téléséries, qu'ils nous viennent des États-Unis ou du Québec: les enfants y vivent très souvent dans une famille sans alliance, soit avec leur père, soit avec leur mère, ou avec leur oncle ou leur grand-père; ces familles sont monoparentales, reconstituées ou non parentales[42].

Au milieu des années 80, les modèles de famille monoparentale et reconstituée sont encore présents et apparaissent sous des modes inédits: par exemple, la famille «biparentale» de «Kate et Allie», constituée de deux mères sans alliance et leurs enfants. Nous parvient également une nouvelle version de famille conjugale «intacte» à travers une télésérie, «Cosbie Show», qui atteint une cote d'écoute inégalée sur les réseaux américains. Cette émission présente des rôles parentaux différents de ceux qui apparaissent dans les téléséries des années 1950 et 1960: la mère est une professionnelle au travail et le père, également professionnel, n'impose plus son autorité à la manière d'autrefois. Le couple à double carrière de «Cosbie Show» ne vit pas de difficultés conjugales; il règle plutôt, chaque semaine à l'antenne, de nombreux problèmes de relation et de cohabitation entre parents et enfants. Des journalistes et la presse d'opinion voient déjà, dans la popularité d'une telle émission, le signe avant-coureur d'une prochaine stabilisation du mariage et de la famille.

Si c'est là une interprétation possible, on pourrait tout autant considérer d'autres contenus d'émission comme révélateurs d'une autre réalité encore bien présente: ainsi en serait-il de la renommée québécoise de deux téléromans, «Des dames de coeur» et «Lance et compte», où la désunion des couples et les aventures extra-matrimoniales sont au centre des scénarios.

LES RAPPORTS CONJUGAUX DANS LA MAISONNÉE

Si, dans les années 60, les transformations matrimoniales privées apparaissaient latentes dans la plupart des milieux sociaux, après 1970, il en est bien autrement. À travers la montée spectaculaire des dissolutions matrimoniales, les grandes institutions de la société doivent s'ajuster peu à peu, en même temps qu'émergent de nouveaux modèles d'union. Dans la vie quotidienne et privée, que se passe-t-il? Quels avatars et quelles adaptations subissent les rapports conjugaux? Quelles observations nous livrent les sociologues et les ethnologues qui ont abordé ces questions?

L'ethnosociographie des années 1970-1985 reflète partiellement la précarité nouvelle du lien matrimonial légal et apporte un éclairage partiel sur les conditions socio-économiques et culturelles de cette crise du mariage. Surtout (et bien qu'elles soient incomplètes), ces données monographiques illustrent bien le fait que les transformations ne se font pas au même rythme dans toutes les couches de la population: les femmes et les jeunes se révèlent plus empressés de changer les rapports conjugaux, et surtout s'ils habitent une grande ville. Parallèlement à l'instauration de nouveaux modes de vie, dès les années 70, on voit s'instaurer une plus grande tolérance face aux «désordres» du mariage traditionnel.

Douceville: sa classe ouvrière, ses élites et sa frange agricole

À travers l'observation d'une petite ville industrielle du textile observée entre 1969 et 1974, Colette Moreux s'efforce de décrire, comme dans un microcosme, la société québécoise en transition entre la «tradition» et le «modernisme». Cinq grands secteurs de la vie collective sont explorés: religion, politique, économie, groupe local et famille. Dans chaque secteur, la population est plus ou moins engagée sur la voie du modernisme. Par exemple, si «le modernisme religieux... est l'un des plus assurés et des plus volontaires», témoignant en cela de la désaffection que vit l'Église du Québec depuis une dizaine d'années, «la vie familiale et sexuelle,... le statut féminin [demeurent] le noyau le plus revendiqué de la tradition» (Moreux, 1982: 33, 34).

Pour la majorité de la population de Douceville, les rapports conjugaux demeurent, selon Moreux, dans la ligne de la tradition. Ainsi, «la fonction «normale» est celle d'homme et de femme mariés et surtout celle de père et mère de famille» (p. 54); de plus, la sociologue observe des «difficultés d'insertion sociale des célibataires (et) de personnes séparées ou veuves» (p. 53). Dans ce contexte, la stabilité matrimoniale va de soi chez les tenants de la tradition:

> les individus mettent au premier rang de leurs finalités la bonne marche de [la] société [conjugale] sans trop s'interroger sur leur propre confort psychologique et celui de leur partenaire. Si l'association conjugale est réussie, mon Dieu, tant mieux et merci; si elle ne l'est pas, mon Dieu, tant pis et merci quand même (Moreux, 1982: 54).

Comme à Saint-Pierre, la plupart des dissolutions matrimoniales demeurent donc latentes et sont encore «réprimées avec la douce férocité propre à la communauté» (p. 82).

> Dans les cas d'écarts graves par rapport au modèle [de couple] officiel, inconduite, intempérance du mari ou anomalie caractérielle de l'un des conjoints, toutes les stratégies sont mises en jeu pour masquer le déséquilibre aux yeux du voisinage et de la parenté. Dans la plupart des cas, les enfants eux-mêmes ne perçoivent que confusément la mésentente parentale.
>
> [...]
>
> Lorsque la séparation, dans quelques cas extrêmes survient, c'est souvent sur la pression de la parenté enfin informée, des enfants

devenus grands et, encore, sous des formes ambiguës: le mari «travaille à l'extérieur» ou bien des périodes de cohabitation temporaire sont ménagées pour les époux (Moreux, 1982: 58, 59).

La configuration des rapports conjugaux est toujours axée sur le modèle ménagère/pourvoyeur mais par rapport à la situation observée à Saint-Pierre en 1964, il faut noter certains changements. Le contrôle des naissances ne pose plus de problème de conscience aux catholiques[43], et «les valeurs féminines ne sont pas menacées par la diminution de la fécondité» (p. 266). En effet,

La hantise traditionnelle de ne pas avoir assez d'enfants ou d'en avoir trop s'est transformée en un souci de bien réussir l'éducation des 3 ou 4 descendants que l'on a choisi d'avoir [...] Mais la mère est toujours désignée comme la responsable au premier chef de la personnalité de ses enfants (Moreux, 1982: 269, 276).

Ces mères sont encore très attachées à leur statut de ménagère et, dans cette ville où domine l'industrie textile, elles se disent, comme les hommes, opposées au travail des femmes mariées à l'extérieur du foyer (Moreux, 1982: 255). C'est donc un mariage de type traditionnel que l'on retrouve à Douceville au début des années 70, mais qui s'achemine vers un modèle moderne: en plus de contrôler les naissances, la famille serait alors, selon Moreux (1982: 52), d'un «type conjugal égalitaire[44]».

Ce qui distingue Saint-Pierre de Douceville, c'est surtout que les dissolutions matrimoniales ne sont pas toutes cachées aux yeux de la communauté. Il y a des désunions tout à fait manifestes, bien qu'encore marginales.

Le chiffre des divorces, qui a représenté tout de suite 5 cas, dès la seconde année de la légalisation [1970], s'est stabilisé les années suivantes autour de la quinzaine: dans le quart des cas à peu près, il est le fait de couples séparés depuis fort longtemps mais que les lois de l'Église maintenaient dans un état matrimonial théorique. Pourtant, fait symptomatique, tous les autres cas de divorces sont le fait de couples la plupart du temps très jeunes et récemment mariés, qui témoignent ainsi d'une attitude nouvelle à Douceville face à l'indissolubilité traditionnelle du couple (Moreux, 1982: 23).

Face à une morale religieuse encore intransigeante quant à l'indissolubilité matrimoniale, les couples «marginaux» se sont donc accommodés de la sécularisation du mariage, accessible depuis 1969[45], ce qui sans doute réduit la marginalité de ceux qui vivent une dissolution matrimoniale.

> À partir du moment [...] où le mariage civil double le mariage religieux et autorise ainsi le divorce, ces pratiques s'installent tranquillement dans les moeurs; quelques mariages civils sont célébrés chaque année, la plupart du temps [...] entre personnes déjà «accotées[46]» qui régularisent ainsi leur situation, ou entre divorcés, que l'Église n'admet pas toujours aux sacrements (Moreux, 1982: 23).

Dans quels segments de la population observe-t-on des dissolutions matrimoniales? Chez *les jeunes* d'abord qui, souvent dans des familles «respectables», arrivent à convaincre en premier lieu leur mère de tolérer leurs nouveaux modes de vie:

> [...] la mère est souvent dépassée, ce que disent et font ses enfants n'a plus de commune mesure avec ses propres audaces idéologiques et comportementales: alors, bravement, même si intellectuellement elle ne comprend plus, elle accepte par amour et dans un acte de foi ce qui, pour l'opinion publique et le père, fait encore figure de catastrophe familiale; cachant les faits à son mari ou essayant de l'apaiser à défaut de le convaincre, elle cherche un logement pour son fils qui va vivre «accoté[46]» à trois pas de chez elle, s'occupe de l'avortement de sa fille célibataire, recueille les enfants du jeune couple en détresse [...] À son insu, la mère est confrontée sans ménagement avec des modes de vie pour elle jusqu'ici pathologiques mais qu'elle n'a aucun moyen d'ignorer ou de contourner parce qu'ils sont le fait de ce qu'elle a de plus cher et de plus significatif dans son existence: ses enfants (Moreux, 1982: 279, 280).

Cette longue citation livre une information majeure sur les changements matrimoniaux tels que vécus dans la sphère domestique: contrairement aux mères de Saint-Pierre qui semblaient beaucoup plus réticentes à accepter d'héberger leur fille en cas de grossesse «illégitime», celles de Douceville paraissent s'assouplir.

D'ailleurs *les divorcées et les mères célibataires*, à Douceville, n'ont pas besoin de s'exiler, contrairement à celles de Saint-
Pierre en 1964: c'est le cas de deux informatrices privilégiées de
l'enquête de Moreux[47], dont l'une vit avec des partenaires sexuels
occasionnels. Il s'agit, selon Moreux (1982: 264) d'une «trans-
gression comportementale, rare encore mais publique».

Moreux signale à Douceville une autre catégorie de femmes
dont le comportement préfigure un changement matrimonial: les
«*femmes des classes dirigeantes*, commerçantes essentiellement, plus scolarisées [...] qui recueillent malgré elles [sic] les
effluves du féminisme» (p. 261, 262). Insatisfaites de leur sort, ces
femmes présentent des attitudes qui ressemblent à bien des
égards aux «malaises» de la femme de classe moyenne décrite
par Friedan dans *La femme mystifiée* (1965):

> On s'ennuie, les enfants [sont] [...] mis en pension, [on est] écoeu-
> rée des réunions familiales [...], on voudrait essayer de travailler
> [...], [les maris] s'y opposent «sans appel» et ils invoquent la
> suspicion publique quant à leur fonction de pourvoyeur [...]. Le
> malaise ressenti par ces femmes ne prend jamais d'autre dénomi-
> nation que la fatigue, l'ennui. Elles sont à notre connaissance plu-
> sieurs à Douceville à supporter de plus en plus mal le poids de la
> féminité traditionnelle (Moreux 1982: 262, 263).

Moreux croit que la plupart de ces femmes, «qui atteignent
maintenant l'âge mûr», se maintiendront dans le cadre familial et
matrimonial. Mais, l'une d'elles a «brisé d'un coup tous ces
cadres». Moreux (1982: 264) commente: «Ces formes d'aty-
pisme, aussi rares soient-elles, préparent sans doute de nouveaux modèles dont la génération suivante verra l'extension et la
légitimation.»

Sont donc décelées, à Douceville, quelques indices ou
sources de transformations matrimoniales: une tolérance accrue
face au divorce et aux naissances hors mariage, une insatisfaction de leur sort affichée par les épouses scolarisées de milieu
aisé, la «pression au changement» qu'exercent les jeunes sur
leurs mères. Il est loin d'être certain d'ailleurs que pour ces
«femmes d'âge mûr», la sympathie, sinon l'adhésion, aux nou-

veaux modes de vie de leurs enfants, ne corresponde pas chez elles à un désir intime et réel de changement.

Dans certains cas, les nouveaux langages des jeunes et leurs comportements inédits apportent des réponses à des interrogations secrètes que les femmes s'étaient faites depuis longtemps sans oser leur accorder de légitimité: la messe, les normes du catholicisme et de la sexualité, la supériorité de l'homme sont ainsi mis en cause par des femmes d'âge mûr, et dans les termes mêmes qu'utilise la jeune génération (Moreux, 1982: 279).

En milieu montréalais, à la même époque, Robert Sévigny observe des tendances similaires.

Des quartiers montréalais: trois couples d'ouvrier, d'employé et de professionnel

Si l'objet d'observation de Colette Moreux est une petite ville québécoise et ses habitants, c'est un point de vue beaucoup plus centré sur la maisonnée que privilégie Robert Sévigny dans *Le Québec en héritage*. Composé de trois monogaphies, cet ouvrage offre «la comparaison entre [...] trois couples [montréalais] de trois quartiers différents». Ces couples ont tous contracté un mariage religieux avant 1960 et comptent de jeunes enfants; les maris sont ouvrier (Centre-Sud), employé (à Rosemont) et professionnel (à Outremont)[48]. Au moment de l'entrevue, en 1970, ce sont des couples établis, qui ne remettent pas en question leur union, et ce, malgré que les femmes n'en soient pas entièrement satisfaites. C'est seulement à Centre-Sud qu'apparaissent des *dissolutions matrimoniales manifestes* dans la famille élargie, soit chez les enfants du couple. Ainsi, une fille aînée vit en union consensuelle avec un homme divorcé qui a déjà un enfant mais elle prévoit contracter une union légale. Ce «mariage à l'essai» est compris et accepté par sa mère. L'indulgence maternelle (et paternelle) est aussi évidente face à un autre événement familial, la grossesse imprévue de Monique, une fille cadette alors âgée de 15 ans. Écoutons le récit de la mère, qui renvoie à un événement survenu au début des années 60:

Quand on a su qu'elle était enceinte, on n'a pas voulu qu'elle le marie [le père de l'enfant] parce qu'elle était trop jeune. Elle a gardé l'enfant. Aujourd'hui elle est mariée et elle va à merveille. Mais s'il [le mari de Monique] n'avait pas voulu, j'aurais gardé [l'enfant]. Il devait y en avoir autant [d'enfants «illégitimes»] dans mon temps, mais on était obligé de le donner pour ne pas que ça paraisse. Là au moins, c'est plus naturel pour la fille de garder son bébé. Elle peut se marier après si son mari a accepté l'enfant (Sévigny, 1979: 101).

Le discours de Louise contraste de façon frappante avec celui des informatrices de Colette Moreux à Saint-Pierre, femmes de milieu plus aisé, qui, en 1964, se disent «violemment hostiles» (Moreux, 1969: 365) aux relations sexuelles prénuptiales et qui, presque toutes (89 sur 90), refuseraient de garder l'enfant de leur fille, dans l'éventualité d'une grossesse hors mariage (Moreux, 1969: 369). Ces données qualitatives corroborent une constatation majeure de l'étude de Massé *et al.* (1981: 66) sur les mères célibataires de la même époque: en milieu ouvrier ou de classe moyenne, les trois quarts des mères célibataires perçoivent une attitude d'acceptation de l'enfant de la part de leur famille; alors que «le rejet est nettement attribué à la classe bourgeoise [70,4 %] et aux personnes âgées [60,3 %]».

Avec trois couples stables, c'est donc moins sur les dissolutions matrimoniales que sur *la transformation des rapports conjugaux* que l'étude de Sévigny nous renseigne, et en particulier sur la *mise en question du mariage* de type traditionnel par les femmes.

Le modèle d'union ménagère/pourvoyeur est respecté chez les répondants de Centre-Sud et de Rosemont mais il est légèrement transgressé à Outremont, où la femme cumule tâches domestiques et emploi salarié à temps partiel. Le soin et l'éducation des enfants sont sans contredit assignés aux mères et c'est un domaine où le père joue un rôle supplétif, exerçant une «autorité... moins affirmée qu'autrefois» (p. 249). Il en est autrement de l'autorité maritale, clairement exprimée à Rosemont, où Gilles, qui se définit comme «le chef» de la famille, a «le sentiment d'y exercer le pouvoir légitime [...]». Il ajoute que «maintenant je donne plus de liberté à ma femme [qu'au début du mariage], j'ai appris qu'il fallait que j'écoute le point de vue de mon épouse» (p. 36). Sa femme, Claire, donne sa version de la question:

> Au début de notre mariage, [...] il était trop autoritaire. Il avait plus d'instruction mais moins d'expérience [de travail]. [...] On m'avait dit qu'il avait peur que je le domine. [...] J'étais en train de faire une dépression nerveuse. [...] On a mis cartes sur table, je me suis un peu plus imposée (p. 41).

La position de Louis est aussi catégorique: «Dans ma famille, c'est moi qui fais la loi. [...] C'est ma société» (p. 176). Quant à sa femme, Sylvie, elle croit avoir «une certaine influence sur [lui]» (p. 225).

À Centre-Sud, la conception des rôles conjugaux est moins tranchée: si Louise convient que «le travail de maison et d'éducation des enfants est essentiellement du ressort de la femme» (p. 130), elle n'en fait pas une règle absolue; et si André tire son autorité de son rôle de pourvoyeur, «il place la famille avant le travail dans son système de valeurs» (p. 92), ce qui n'est pas le cas de Gilles à Rosemont, pour qui le travail est «sacré» (p. 10), ni le cas de Louis à Outremont, qui se dit «marié avec sa profession» (p. 188).

Ces couples exercent-ils un contrôle des naissances? Si, à Rosemont, la question n'est pas abordée, à Outremont, Louis et Sylvie jugent la position de l'Église «inhumaine, irréaliste» (p. 201) et laissent entendre qu'après la naissance du troisième enfant (vers 1960), une contraception efficace a été adoptée. La réticence à aborder le sujet à Outremont et Rosemont contraste avec la façon ouverte dont la question est débattue à Centre-Sud. On apprend que Louise aurait désiré deux ou trois enfants en se mariant dans les années 30: elle en a eu neuf, et le cadet n'a que 10 ans, l'aînée étant âgée de 32 ans. Louise exprime «le sentiment d'avoir été contrainte à avoir une grosse famille» (p. 98), non qu'elle considère son mari «responsable du fait qu'elle a trop d'enfants» (p. 102) mais la contrainte, selon elle, provient de l'attitude de son confesseur qui lui a «refusé l'absolution» après le troisième enfant (p. 77, 97). Elle prend maintenant la pilule anovulante, et le couple a cessé toute pratique religieuse. Louise considère que le contrôle des naissances dans l'Église «[c'est] des règlements d'hommes et on est obligé de les subir pareil» (p. 130).

Les monographies de Sévigny ne laissent guère de doute quant au fait que l'autorité domestique soit exercée par les hommes dans leur famille, du moins dans les milieux aisés et moyens. Cette caractéristique témoigne-t-elle de la «norme» la plus admise? de la réalité la plus répandue? Il est difficile de se prononcer; les résultats d'ensemble de l'étude de cinq quartiers montréalais (Lamarche, Rioux et Sévigny, 1973) corroborent ce constat d'une autorité familiale du père dans une majorité de ménages.

Les épouses interrogées ne paraissent pas satisfaites de la place qui leur est faite dans la maisonnée et dans la société. C'est du moins ce que laisse entendre l'expression de leurs attitudes et opinions à propos de plusieurs sujets: la vie sexuelle, la drogue et la contre-culture chez les jeunes, la religion, le divorce et enfin le travail des femmes. Sévigny considère que les femmes démontrent une plus grande «ouverture au changement» que leurs époux, qui tiennent généralement au statu quo sur les mêmes sujets.

Ainsi, à Rosemont, dans tous les secteurs où il est demandé à Gilles et Claire de réagir, cette dernière

> exprime une plus grande ouverture au changement que ne le fait son mari. Sous bien des aspects, elle a le sentiment d'avoir changé d'opinions, d'attitudes ou de comportements au cours de sa vie [...] elle s'identifie beaucoup aux jeunes qui s'orientent vers un style de vie auquel une partie d'elle-même s'identifie. Elle a aussi le sentiment que toute la société évolue en même temps qu'elle (Sévigny, 1979: 66, 73).

Son attitude est favorable à la liberté des relations sexuelles chez les jeunes, même pour ses propres enfants (p. 56). Cependant, «elle est contre la vie commune hors le mariage, mais on apprend tout de suite qu'elle favorise le divorce quand il y a désaccord entre les deux partenaires» (p. 56).

La morale «moderniste» de Claire s'explique-t-elle par le fait que «par rapport à la religion, elle se sent différente de son mari» (p. 73)?

Aujourd'hui Claire «pratique» rarement — «quand ça me tente» — alors qu'autrefois, elle se sentait obligée d'aller à la messe chaque dimanche. Ce fut là d'ailleurs une source de tension très grande entre elle et son mari (Sévigny, 1979: 47).

Car Gilles «est catholique et pratique de façon régulière. [...] La religion fait partie des valeurs essentielles auxquelles [il] adhère et qu'il veut transmettre à ses enfants» (p. 43).

Il ne partage pas les idées de Claire sur les relations sexuelles prénuptiales, le divorce, le rôle de la religion dans la vie. Quant aux rôles conjugaux, Gilles, qui s'affirme comme «le chef» de la famille, «ne veut pas entendre parler que sa femme travaille [hors du foyer]» (p. 63). Tout en se plaignant à maintes reprises de sa solitude, Claire se rend partiellement aux arguments de Gilles: le travail des femmes à l'extérieur du foyer peut sans doute nuire aux enfants, mais pas quand ils ont atteint l'adolescence. Ce n'est pas encore la situation de Claire puisque son plus jeune enfant n'a que trois ans.

À Centre-Sud, on a vu précédemment que Louise avait accepté avec indulgence que ses propres enfants vivent l'union libre et la maternité célibataire. La morale familiale et sexuelle qu'elle exprime est sans doute la plus révolutionnaire du *Québec en héritage*.

Moi je prédis que dans le futur, il y aura bien des femmes qui vont travailler, puis qui vont s'arranger pour avoir seulement deux ou trois enfants. [...] Il va y avoir des garderies partout comme en Russie (p. 130).

Elle paraît certaine que les moeurs vont changer: en plus d'être ouverte aux relations sexuelles prémaritales chez les femmes, elle entrevoit «l'amour libre [qui] va bientôt permettre aux femmes de ne pas se marier et de changer de conjoint» (p. 131).

Mais elle demeure ambivalente car elle croit que le «partage des enfants» va occasionner «des problèmes» (p. 131).

Louise manifeste un très fort sentiment d'appartenance au groupe des femmes (p. 130, 131). Les positions de l'Église face au contrôle des naissances sont qualifiées de «règlements d'hommes» et elle avoue «ne pas toujours comprendre très bien la religion catholique» (p. 122). Elle prédit que «les jeunes n'auront plus de religion, [...] ils vont être trop instruits pour ça» (p. 123). Elle et son mari ont d'ailleurs délaissé la pratique religieuse. Et André considère que la désaffection des Québécois face à l'Église est définitive. Voici l'explication qu'il en donne: «Non c'est fini parce qu'ils se sont trop fourrés le nez dans la politique» (p. 125).

C'est sans doute à Outremont que les divergences de vue entre les conjoints sont le moins explicites. Ayant tous deux abandonné la pratique religieuse (p. 199), Louis et Sylvie expriment un désaccord profond avec la position de l'Église à l'endroit de la limitation des naissances, du célibat des prêtres (p. 201) et, ajoute Sylvie, de l'avortement. Si, à l'endroit du divorce, des relations sexuelles prénuptiales, de la cohabitation juvénile, le couple d'Outremont ne livre pas d'opinion, les nouvelles normes des jeunes, exprimées à travers les courants «hippies» ou de contre-culture, apparaissent à Louis menaçantes car il «pense que la majorité de ces gens-là [les hippies] sont débauchés» (p. 235). Sylvie a une position plus ouverte: elle «se sent proche des jeunes» qui sont «une source de dynamisme qu'elle ne retrouve pas chez les adultes», et même, «elle accepte de se poser des questions» sur les normes sexuelles de la contre-culture (p. 235)».

Sur le travail de la femme mariée, Louis a une position tranchée: l'équilibre des enfants dépend de la présence maternelle. La maternité étant «quelque chose de physique», seules les femmes ont «le sens aigu de la valeur de la vie» (p. 206, 207) et peuvent s'occuper convenablement des enfants. Bien qu'elle «s'identifie à cette conception du rôle de la femme» (p. 171), Sylvie appréhende cependant le moment où son rôle d'éducatrice prendra fin, où ses enfants n'auront plus besoin d'elle. Elle devra alors choisir si elle continue de s'en tenir à un rôle traditionnel (être d'abord ménagère) qui fut le sien depuis son mariage, et, au-delà de son travail à temps partiel, s'en remettre à un nouveau rôle qui ferait d'elle une femme plus «active» hors du foyer, destin que son mari lui-même semble favoriser, maintenant que les enfants vieillissent. Ne devrait-elle pas, suggère-t-il, se donner une formation professionnelle? Sylvie hésite. Tout son témoignage est empreint de son ambivalence face aux modèles féminins traditionnels et nouveaux. Elle exprime, tout autant que Claire, ce «malaise indéfinissable», qui rappelle celui décrit par Friedan (1965) et noté par Moreux (1982) à propos des épouses de milieu aisé de Douceville.

En somme, Robert Sévigny a bien saisi comment, au début des années 70, les rapports matrimoniaux sont mis en question dans des ménages dont la stabilité conjugale ne paraît pas menacée. Ce sont surtout les femmes qui s'interrogent sur les changements de la vie conjugale et familiale; elles expriment leur adhésion à des pratiques nouvelles concernant la sexualité, les rôles féminins, la religion; les femmes de Rosemont et d'Outremont disent en plus leur insatisfaction, se plaignant de leur solitude, de leur fatigue, de leur ennui, et même de leur sujétion et de leur dépendance (Sévigny, 1979: 253, 254).

Seront-elles les initiatrices des changements qui se dessinent?

En milieu urbain: des femmes scolarisées

Les femmes innovatrices interrogées par Colette Carisse et Joffre Dumazedier en ce début de décennie 1970 sont présentées comme étant à l'avant-garde de tels changements. Pour cette enquête, cent cinquante Canadiennes francophones, la plupart de Montréal, ont été dépistées et choisies pour leur action novatrice dans les domaines de la vie professionnelle, de la participation socio-politique ou de l'expression de soi. Il s'agit en somme de femmes qui sont toutes actives dans la sphère publique, soit sur le marché du travail, soit dans l'action communautaire, politique ou culturelle. Fortement scolarisées[49], plus de la moitié de ces femmes ont connu une «carrière [professionnelle] sans interruption», deux caractéristiques qui les distinguent nettement de l'ensemble des Québécoises de leur temps. Elles sont aussi différentes en ce qui concerne leur situation matrimoniale: si un peu plus de la moitié (52 %) sont mariées, le tiers demeurent célibataires[50] et les autres sont séparées ou divorcées (1975: 97, 162).

> Pour être innovatrices, un plus grand nombre a vécu hors du mariage, celles qui sont mariées ont moins d'enfants que les autres et le taux d'échecs conjugaux mesuré par un divorce ou une séparation est aussi légèrement plus élevé que pour l'ensemble des femmes.

Donc, près de la moitié de ces femmes innovatrices vivent hors du mariage et plus du tiers hors de la maternité. Pour l'autre moitié, la conjugalité fait partie de leur univers: au début de la décennie 70, si ce n'est pas le mariage qui freine leurs activités dans la sphère publique, il en est autrement de la maternité. En effet, celles qui ont de jeunes enfants ont une activité professionnelle réduite: elles occupent un emploi salarié à temps partiel ou bien choisissent d'exercer plutôt une activité socio-politique. Et

> [...] c'est seulement lorsque les enfants ont atteint l'âge de l'adolescence que la mère admet que son travail présente pour elle une très grande importance, que son activité prend pour elle plus d'importance que le travail familial (Carisse et Dumazedier, 1975: 162).

Même si elles ont parfois l'aide du mari[51], ces femmes s'estiment donc encore les premières responsables de l'élevage des enfants dans leur famille. Si elles écartent la maternité non désirée [la contraception est pour elles «un gain définitif» (p. 172)], elles ne rejettent pas le rôle maternel: «La majorité des femmes interrogées valorisent le rôle maternel, sans accepter d'en être esclave» (1975: 173).

Ces femmes ne sont cependant pas complètement satisfaites de leur situation et elles ont des propositions concrètes pour que la sphère de la vie familiale soit adaptée aux temps nouveaux, c'est-à-dire à la vie professionnelle et participative des femmes

dans la sphère publique. D'abord, il faut changer les rôles masculins dans la famille:

> Toute l'organisation familiale est à repenser. [...] L'innovation mas-
> culine doit se situer au niveau du rôle du père, d'une redécouverte
> de la fonction de l'homme dans la famille. [...] De même que la
> femme est prisonnière du foyer, l'homme est aussi prisonnier au
> travail (1975: 173).

Il faut également revoir le rôle maternel, qui doit être reconnu
comme un service à la collectivité et non seulement comme une
activité «naturelle» ou un «choix privé» des femmes. Ces femmes
endossent les recommandations du Rapport sur la situation de la
femme au Canada et, plus globalement, les revendications du
Mouvement des femmes.

> Certaines réclament avant tout la reconnaissance du rôle social
> qu'assume actuellement la mère de famille en produisant et en
> élevant des enfants pour la collectivité. Elles réclament une politi-
> que d'ensemble de la famille qui facilite cette vie de famille et
> surtout la vie de la mère. Elles revendiquent [...] planification des
> naissances, [...] accès à l'avortement, garderies et [...] aide à la
> famille sous toutes ses formes, matérielles ou non, [...] [car elles
> sont] ouvertes aux problèmes de mutation de la famille (1975: 119).

L'ouvrage de Carisse et Dumazedier laisse voir, chez des
femmes instruites et actives dans la sphère publique, une volonté
de changement plus radicale que celle observée par Sévigny
(1979) à Rosemont et Outremont, mais assez proche, paradoxalement, de la vision exprimée par Louise, du quartier ouvrier de
Centre-Sud. Dans un cas comme dans l'autre, cette volonté n'est
d'ailleurs pas sans ambivalence ni sans contradiction entre l'ancien modèle (la carrière maternelle exclusive) et le nouveau modèle (la carrière professionnelle, même conjuguée à la maternité).
Au début des années 70, ce n'est donc pas «la» famille, ni le désir
d'enfants qui sont mis en cause mais les rôles sexuels stéréotypés
et le mariage de type traditionnel. On peut penser que ces
«femmes innovatrices» ou bien chercheront à transformer leurs
rapports conjugaux, ou bien, en cas d'échec ou d'hésitation,
s'écarteront du mariage par le divorce ou l'union libre.

Montréal: la cohabitation chez des jeunes adultes

Il faut certes interpréter comme la recherche d'une solution de rechange au mariage traditionnel le choix de plus en plus fréquent de la cohabitation chez les jeunes, à mesure qu'avance la décennie 70.

Les 67 couples interrogés par Lazure en 1972 et 1973 sont âgés de 18 à 30 ans, vivent en union consensuelle et se disent «agnostiques». La plupart d'entre eux sont célibataires, fortement scolarisés[52] et appartiennent à des catégories socio-économiques privilégiées: ils sont surtout professionnels, cols blancs ou étudiants universitaires, et quelques-uns seulement[53] ont métier d'ouvriers. Si une dizaine d'hommes et quelques femmes sont qualifiés de «chômeurs volontaires», option que Lazure (1975: 262) rattache au mouvement contre-culturiste, seulement une dizaine de femmes n'ont pas d'autre activité que ménagère. Autant par leur origine sociale que par leurs activités principales, ces jeunes cohabitants se rattachent donc à un segment très particulier de la population. Ils n'en sont pas du tout représentatifs. Mais, pour l'époque, on peut les dire novateurs.

L'établissement en ménage de ces jeunes couples, qui habitent presque tous Montréal, n'a pas été sans rencontrer la désapprobation de leur entourage: deux couples sur trois signalent qu'ils ont dû faire face à une résistance, «parfois très dure» (Lazure, 1975: 75, 76), de la part de leur milieu familial, alors que leur milieu de travail et le voisinage affichaient une indifférence relative.

Ces «mariages sans papier» sont-ils caractérisés par un mode de relation particulière entre les conjoints? Lazure considère que les relations de ces couples sont moins marquées par les rôles sexuels stéréotypés, ce qui, selon lui (1975: 283), serait «facilité [...] par des conditions objectives de grande similitude entre les partenaires»: outre quelques chômeurs et étudiants, ce sont principalement des ménages à double salaire et la plupart d'entre eux n'ont pas d'enfant. De plus, ces couples tolèrent une certaine liberté sexuelle: même si elle s'applique à des aventures passagères, l'infidélité des partenaires est admise dans un cas sur trois.

Pourtant, tous ces couples ne sont pas opposés au mariage: seulement le quart le refusent catégoriquement. Les autres en envisagent la possibilité, mais plus tard ou quand se présentera la perspective d'avoir un enfant. C'est dire que pour une majorité d'entre eux, «le mariage [plutôt civil que religieux] est une chose pratiquement certaine»: ces cohabitations sont donc nettement un prélude et non un substitut au mariage. Vers 1972, alors que les naissances hors mariage sont encore considérées «illégitimes» par le Code civil, c'est surtout la perspective d'avoir des enfants qui incite ces jeunes concubins à se marier: à l'exception de deux couples, tous prévoient avoir des enfants, dans un avenir plus ou moins immédiat. Mais ce n'est pas sans appréhension qu'ils envisagent cette possibilité. Comme l'exprime un jeune père de l'enquête, la venue d'un enfant, «ça change énormément les relations du couple» et sa partenaire en convient:

> Je ne voulais pas qu'il se sente obligé de vivre avec moi et surtout pas de se marier. [...] C'est surtout après [que l'enfant] est né qu'on a eu une crise d'adaptation. [...] J'étais plus agressive, [...] très dépressive, [...] il y avait beaucoup de conflits, on s'entendait à peu près pas (Lazure, 1975: 119-120).

Dans cette union «libre» où la gratuité des partenaires est largement valorisée, la venue d'un enfant crée des obligations, impose des contraintes. Il n'est pas sans pertinence de noter que pour la plupart des unions consensuelles de notre enquête sur les mères sans alliance (Dandurand et Saint-Jean, 1988), la rupture du couple est liée à l'arrivée d'un enfant, d'ailleurs désirée davantage par la mère que par le père.

La vie domestique de ces jeunes cohabitants est-elle bien différente de celle qui caractérise les gens mariés de l'époque? Lazure (1975: 261) répond d'abord par l'affirmative à cette question: en ce qui touche à la répartition des responsabilités de la maisonnée, sept couples sur dix «pratiquent et prônent l'égalité» des tâches entre conjoints. Mais un examen plus approfondi de la question laisse soupçonner qu'il s'agit d'une égalité encore davantage «prônée» que «pratiquée»:

> Même lorsque l'homme fait sa part dans les travaux intérieurs, la femme se voit encore laisser la «supervision» de ces travaux domestiques, ou même insiste pour qu'elle s'en charge. Par contre, l'homme tient encore assez souvent à son autorité et à sa suprématie financières au sein du couple (Lazure, 1975: 275).

Région métropolitaine de Québec: des ouvrières mariées

Il faut attendre les années 80 pour que soit explorée plus à fond cette réalité nouvelle de la vie familiale: le ménage à double soutien économique, qui devient dès lors au Canada le modèle dominant d'association matrimoniale, déclassant le modèle ménagère/pourvoyeur aux statistiques officielles[54].

Les 132 femmes interrogées par Vinet *et al.* en 1981 sont des ouvrières à l'emploi d'usines de la zone métropolitaine de Québec. Mariées à des hommes qui ont des emplois et des revenus équivalents aux leurs, plus des deux tiers de ces couples ont des enfants à charge[55]. L'étude cherche principalement à cerner la manière dont ces femmes, insérées de façon stable et à plein temps au marché du travail[56], aménagent leur vie professionnelle, conjugale et domestique. En d'autres termes, la question posée est la suivante: quand les deux conjoints ont un emploi plutôt équivalent hors du foyer, la tâche domestique, dévolue traditionnellement aux femmes comme mères et ménagères, est-elle oui ou non partagée par les pères-maris et dans quelle mesure? Et alors, l'autorité domestique est-elle plus collégiale? Les réponses sont mitigées.

Pour trois femmes sur dix, la répartition traditionnelle des responsabilités domestiques entre époux demeure de rigueur et elles doivent donc faire une double journée de travail[57]. Cependant pour sept couples sur dix (p. 115), il y aurait allègement des responsabilités domestiques des femmes à cause de la participation du mari, qui s'avère variable, mais se présente plutôt sous le mode de «l'aide» que du partage.

[...] Jusqu'à preuve du contraire, nous devons continuer de croire que les femmes assument la plus lourde part dans le partage des tâches domestiques. [...] L'homme assume rarement seul l'une ou l'autre de ces tâches [...] [alors que 50 % des femmes] ont la responsabilité des repas, le tiers, [...] de la vaisselle, [...] des planchers [...] et les deux tiers, du repassage et du lavage (Vinet, 1982: 78)

La répartition est assez semblable pour ce qui est du soin aux enfants: une bonne majorité (70 %) des «femmes ayant des enfants de cinq ans et moins disent que leur conjoint les aide régulièrement dans les soins prodigués» (p. 79); si 45 % de ces dernières affirment que «leur conjoint s'occupe aussi bien qu'elles des enfants malades» (p. 179), la moitié d'entre elles le font seules. Même inégale, cette division du travail domestique avec leur conjoint, la plupart des femmes s'en disent «satisfaites» (p. 79); mais quand on leur demande si elles souhaiteraient un changement «radical» des responsabilités domestiques (c'est-à-dire une inversion des rôles traditionnels: que l'homme reste à la maison et que la femme travaille au dehors), près de deux femmes sur cinq répondent par l'affirmative (p. 80-81, 118).

Bien qu'on ne dispose pas de données équivalentes, permettant une comparaison rigoureuse avec les couples observés vers 1970 par Moreux (1982) et Sévigny (1979), il semble y avoir, chez ces couples d'ouvriers à double salaire, un partage plus poussé des responsabilités de la maisonnée. L'autorité domestique est-elle également mieux partagée? Selon l'opinion des répondantes, le modèle égalitaire prévaut:

17 % [...] disent que c'est leur conjoint qui détient l'autorité alors que 18,9 % d'entre elles croient détenir le plus d'autorité. Cette différence peu significative est due au fait qu'une forte proportion de l'échantillon (63,6 %) affirme que l'autorité à la maison est répartie également entre les conjoints (Vinet *et al.*, 1982: 80).

L'étude de Vinet *et al.* n'est pas la première à suggérer un lien entre une position équivalente des conjoints en termes d'activité professionnelle (en somme dépendance économique moins grande des femmes) et un certain égalitarisme dans les rapports conjugaux (voir: Michel, 1967; Young et Willmott, 1973; Rapoport, 1973). Si on n'est pas encore en présence d'une répartition égalitaire des ressources et responsabilités domestiques, on voit cependant émerger, dans tous ces cas, un modèle mitoyen entre le modèle conjugal longtemps prépondérant en société industrielle (ménagère/pourvoyeur) et un modèle idéal, où les rôles conjugaux et parentaux seraient interchangeables.

Ces rapports conjugaux plus égalitaires, observés précédemment chez les «femmes innovatrices» et les «jeunes couples non mariés» n'existent-ils que chez les couples dont la femme a une insertion professionnelle stable? [Car même actives, la plupart des femmes mariées des années 80 n'ont pas d'emploi stable (Kempeneers, 1987)]. Là où la répartition des rôles est demeurée telle qu'en 1960 soit quand le modèle est toujours celui de ménagère-pourvoyeur, peut-on aussi observer une modification dans l'allocation du pouvoir et des responsabilités domestiques? L'étude faite la même année (1981) sur les femmes au foyer aborde ces questions.

Des femmes au foyer de multiples régions et couches sociales

En 1981, avec la collaboration d'un service de recherche d'une université montréalaise, une association féminine, l'Afeas, lançait à travers la province une vaste enquête sur les femmes au foyer. 693 répondantes y participaient qui, toutes, se définissaient comme «femmes au foyer»: le quart d'entre elles étaient des travailleuses à temps partiel, les autres n'avaient jamais eu de travail rémunéré (soit comme collaboratrices du mari, travailleuses à domicile ou en emploi)[58] ou n'en avaient eu que de façon intermittente (Therrien et Coulombe-Joly, 1984: 36). Cette enquête aborde largement la situation familiale de ces femmes et notamment, de nombreux indicateurs jettent un éclairage inédit sur les rapports conjugaux.

Qui sont ces femmes au foyer? Si l'on se fie à l'occupation de leur conjoint, elles proviennent de divers milieux sociaux et sont réparties dans plusieurs groupes d'âge: environ la moitié ont encore la charge d'enfants mineurs, les autres ayant fini d'élever leur famille. Plus âgées, comme population, que les ouvrières de la région de Québec interviewées par Vinet *et al.*, elles ne sont guère plus scolarisées[59]. Interrogées sur leur choix de vie, «la raison la plus importante à l'origine de la décision de demeurer au foyer est la présence à assurer auprès des enfants» (p. 181), ce qui ne les empêche pas d'avoir une vie sociale très active et de participer à des organismes bénévoles (c'est le cas d'une femme sur quatre): elles ne correspondent donc pas dans l'ensemble, au stéréotype de la «ménagère isolée dans sa maison».

Avec cette population, les rapports conjugaux sont par définition marqués par la division du travail mère-ménagère et pourvoyeur. Donc pas de surprise dans le fait que «toutes les tâches ménagères, sauf une, demeurent sous la responsabilité de 6 à 9 répondantes sur 10» (Therrien *et al.*, 1984: 84) et il s'agit bien «d'aide» de la part des maris, et souvent «occasionnelle». Cette division, marquée par l'affectation de chaque époux à une sphère séparée du travail, s'accompagne-t-elle d'une domination patriarcale, matriarcale, ou bien d'une autorité domestique répartie assez également chez les conjoints? Cela dépend des indicateurs considérés. Disons d'abord qu'au chapitre du pouvoir domestique, l'enquête de Therrien *et al.* est sans doute la plus complète qui ait été publiée jusqu'ici au Québec. Outre la gestion du budget et autres décisions de la vie domestique concernant la consommation, les loisirs et l'éducation des enfants, sont abordés les modes d'interaction en cas de tension et de conflit de même que le contrôle des biens durables du ménage, celui de la propriété du logement et le choix du régime matrimonial.

Les décisions (de la vie domestique) se prennent très majoritairement à deux (p. 78), à l'exception de l'achat d'automobile que règlent seuls plus du tiers des hommes (p. 77). La gestion du budget familial est assez semblable à celle qui existait chez les ouvrières de Québec[60]: dans deux cas sur trois (67 %), il s'agit d'une gestion conjointe; autrement, c'est la répondante seule (18 %) ou son conjoint (14 %) qui s'en charge (p. 51). Therrien et Coulombe-Joly se sont en outre demandées comment et à qui les ressources étaient attribuées: elles constatent que deux répondantes sur trois «ont une part du revenu alloué à leurs dépenses personnelles et ont accès à un compte conjoint» (p. 55). Ces données indiquent donc qu'environ le tiers des femmes au foyer connaissent une forte dépendance financière; parmi ces dernières, deux femmes sur cinq la jugent «frustrante» (p. 56). Cette dépendance est accrue du fait que les régimes matrimoniaux choisis par ces couples ne reconnaissent pas le partage des biens dans le ménage (une infime minorité a choisi la société d'acquêts), ce qui place les femmes dans une situation de précarité face aux ruptures éventuelles d'union. De plus, quand ils sont propriétaires de leur maison, les époux n'en partagent la possession que dans un peu plus d'un cas sur trois; les maris propriétaires sont majoritaires (56,3 %) et seulement 6,4 % des femmes le sont (*ibid*.: 62). C'est donc dire que le pouvoir domestique chez les femmes au foyer est loin d'être matriarcal; des formes patriarcales subsistent nettement[61], en particulier pour ce qui est du contrôle des biens et ressources. Mais dans l'ensemble les rapports conjugaux semblent plus égalitaires qu'ils n'apparaissent dans l'ethnosociographie des rapports conjugaux des années 60 et du début des années 70. C'est également ce qui ressort des résultats portant sur l'interaction des conjoints.

> Le mode d'interaction dominant entre les conjoints semble être l'expression franche des goûts personnels, la défense de son point de vue dans une discussion et l'exclusion de tactiques de manipulation. Par contre, certaines données indiquent que plusieurs [femmes] choisissent de ne pas donner une opinion contraire à celle de leur conjoint pour éviter une tension ou un conflit [...] Ainsi les plus âgées sont plus soumises et s'engagent moins volontiers dans des oppositions ouvertes (Therrien et Coulombe-Joly, 1984: 82, 83).

Les rapports du couple aux enfants sont assez peu abordés. Quelques indications laissent voir une certaine transformation du rôle du père. Chez ce dernier, le rapport aux enfants se traduirait de moins en moins par l'intervention punitive (seulement 1,5 % prennent seuls des décisions en ce domaine [p. 77]), mais leur participation aux jeux et activités des enfants serait plus élevée (respectivement 57,6 et 63 % [p. 86]) que celle de la mère qui, de son côté, assume majoritairement le soin aux enfants et la surveillance des devoirs. Les pères, qui sont passés d'un rôle restreint dans l'éducation des enfants à une participation un peu plus soutenue, semblent se spécialiser davantage dans les activités ludiques que d'entretien[62].

Des mères sans alliance de diverses conditions

C'est environ une dizaine d'années après la loi du divorce que sont entreprises les premières études sur les familles mono-parentales issues de désunions conjugales. Comment ces études nous éclairent-elles sur les transformations matrimoniales des années 1970-1985? Quels effets ont les désunions conjugales sur les conditions de vie de ceux qui les vivent?

Une première enquête, celle de Pierre Gauthier, est faite à Montréal en 1977 auprès d'une centaine de ménages biparentaux et de 67 foyers monoparentaux de divers milieux sociaux. Les rapports conjugaux de même que les motifs de désunion des familles monoparentales sont abordés très sommairement: les répondantes, ayant contracté un mariage au début ou avant les années 60, ont pour la plupart connu le modèle d'union tradition-nelle (ménagère/pourvoyeur), ainsi que des rôles parentaux nette-ment différenciés, caractérisés par la présence importante de la mère et un apport limité du père dans l'éducation des enfants (P. Gauthier, 1986: 27-33). Aussi n'est-il pas étonnant que l'étude de Gauthier dégage deux constatations majeures à propos des familles monoparentales. D'abord «l'absence physique et psy-chologique du père»:

> Les pères des familles monoparentales sont très loin de leurs enfants, physiquement et psychologiquement: leurs enfants ne les voient que très peu et n'en parlent presque jamais. Par contre, fait surprenant au premier abord, même les enfants des familles bipa-rentales ont relativement peu de contacts avec la figure paternelle. En effet pour plus de la moitié, les pères sont en interaction moins de dix heures par semaine avec leurs enfants [y inclus les repas]. Bien souvent les enfants ne connaîtront de leur père que son rôle de pourvoyeur (Gauthier *et al.*, 1982: 209).

La seconde constatation de l'étude de Gauthier porte sur la «surcharge psychologique et financière» (1982: 203-207) que doivent subir les mères quand elles sont chefs de famille monoparentale: surcharge psychologique car elles assument seules la responsabilité des enfants; surcharge financière car elles vivent dans une situation de grande pauvreté.

Ces mêmes caractéristiques des familles monoparentales se dégagent d'un sondage mené en 1979 auprès des membres de leurs associations familiales à travers la province (Lamont, Lamoureux et Guberman, 1980). On rapporte que trois mères sur cinq ont dû s'en remettre à l'aide sociale en raison de l'inexistence ou de l'insuffisance des pensions versées par leur ex-conjoint (Lamont et al., 1980: 47).

Ce sont les conditions de vie de ces mères que cherche à cerner une étude menée dans les années 80 auprès d'un échantillon provincial d'assistées sociales. Si plus de la moitié de ces femmes étaient de milieu économique «faible» avant de bénéficier du programme d'assistance, les autres «ont appartenu à la classe moyenne jusqu'à leur séparation» (Bellware et Charest, 1986: 138). C'est en effet une rupture conjugale ou une naissance hors mariage qui amène sept femmes sur dix à l'aide sociale. Le niveau très bas des prestations, de même que l'impossibilité quasi complète de toucher d'autres revenus sans que la prestation ne soit diminuée ont une double conséquence: en plus de vivre avec leur famille dans une situation extrêmement précaire, bien en deçà des seuils de pauvreté officiels, les plus âgées d'entre elles n'entrevoient pas d'autre issue que de demeurer indéfiniment dépendantes de l'État. Appartenant à une génération de femmes élevées pour devenir mères et ménagères, peu scolarisées et avec des possibilités très médiocres d'insertion professionnelle ou même matrimoniale, ces femmes se considèrent elles-mêmes comme «finies» (Bellware et Charest, 1986: 142). Par ailleurs dans ces familles, deux pères sur cinq n'ont jamais vu ou ne voient plus leurs enfants; la plupart des autres conservent des contacts sporadiques avec eux et leur contribution monétaire est négligeable.

Il en serait autrement chez les couples de condition plus aisée. Effectuée à Montréal, au milieu des années 70, l'enquête de Françoise Tcheng-Laroche interroge des mères de famille mono-parentale assez jeunes et surtout très scolarisées[63]. Travailleuses qualifiées, la plupart de ces femmes gagnent un salaire qui, sans être aussi élevé que celui que touchait leur ex-conjoint, leur pro-cure des conditions de vie qu'elles jugent convenables. En outre, dans ces milieux, une majorité de pères seraient présents auprès des enfants, même après la rupture: aussi bien sur le plan émotif que matériel, trois pères sur cinq conservent une relation amicale et régulière avec leurs enfants (Tcheng-Laroche, 1977: 17).

Une étude qualitative auprès de mères sans alliance de trois quartiers de Montréal (Dandurand, 1982)[64] confirme ces résultats. C'est seulement en milieu aisé (comme pour les répondantes de Tcheng-Laroche, 1977) que ces familles monoparentales arrivent à vivre hors de la pauvreté: il en est ainsi parce que les mères occupent des emplois de professionnelles et parce que les pères s'acquittent assez bien de leurs obligations parentales envers leurs enfants. Par contre, dans les quartiers de classe moyenne et ouvrière (Rosemont, Centre-Sud), les familles affichent des carac-téristiques assez semblables à celles décrites dans les études de Gauthier, Lamont et Bellware. La coupure matérielle et affective entre plusieurs pères et leurs enfants s'accompagne d'une pau-vreté marquée de ces familles, que les informatrices expliquent de la façon suivante: la responsabilité de jeunes enfants d'une part, le salaire insuffisant qui leur est réservé si elles travaillent, et les frais de garde élevés d'autre part, ne leur laissent guère d'autre choix que de vivre de l'assistance étatique, du moins aussi longtemps que les enfants auront besoin de la présence assidue de leur mère.

La recherche menée par Dandurand et Saint-Jean (1988) complète la précédente, sur Montréal, par une nouvelle cueillette de données, en 1982, dans trois petites villes de la province. Cette monographie approfondit la vie en couple et le processus de désunion qui ont marqué l'histoire matrimoniale de vingt-trois femmes, âgées de 25 à 44 ans au moment de l'entrevue (1981 et 1982), les aînées s'étant mariées pendant la décennie 1960, les cadettes ayant contracté une union légale ou consensuelle pendant la décennie 1970. L'analyse révèle certaines tendances dans l'évolution des attitudes et comportements face aux dissolutions matrimoniales. Ainsi les antécédants de ces femmes révèlent des rapports conjugaux le plus souvent marqués par l'inégalité, qu'elles aient été femmes au foyer ou travailleuses; mais les unions contractées pendant les années 1960 apparaissent plus inégalitaires que celles conclues pendant la décennie 1970. Quand interviennent les ruptures, deux femmes sur trois en prennent l'initiative mais les cadettes le font davantage que leurs aînées. De même, les motifs de rupture les plus évoqués varient selon le sexe et l'âge des partenaires: quand les hommes quittent le foyer, c'est plus souvent pour vivre avec une autre femme; quand les femmes entreprennent les démarches de rupture, les aînées le font surtout pour des raisons liées à la violence conjugale et les cadettes, parce que la venue d'un enfant est mal acceptée du père. Enfin l'absence relative de ce dernier après la rupture conjugale est confirmée dans les observations suivantes: les parents ne partagent équitablement la charge affective et matérielle des enfants que dans moins d'un cas sur quatre; pour plus d'un enfant sur quatre, le père est complètement absent alors que dans les autres cas, sa contribution et sa présence sont plus ou moins inadéquates.

On voit bien les rapports entre les modèles de lien conjugal, paternel et maternel qui ont existé en société industrielle et la situation présente des familles monoparentales qui sont issues des désunions. Ce nouveau modèle familial matricentrique apparaît bien comme un aboutissement des dysfonctions de la famille conjugale. Parce que, dans leur histoire matrimoniale, elles ont été traditionnellement assignées au rôle de mère-ménagère et parce qu'elles sont en général très attachées à leurs enfants, la plupart des séparées et divorcées des années 1970-1985 prennent la charge de leur progéniture, bien qu'elles ne puissent accéder qu'à des emplois «féminins» qui procurent un «salaire d'appoint»[65] et se trouvent donc dépourvues de la possibilité de faire vivre convenablement leur famille; d'autre part, le défaut des pères d'assumer la part de charge parentale qui leur revient a pour effet d'accentuer fortement la précarité de ces conditions de vie. C'est dans les milieux plus favorisés, là où les femmes sont mieux dotées sur les plans scolaire et professionnel, que les familles monoparentales arrivent à vivre décemment. D'autant plus qu'elles reçoivent plus fréquemment l'aide des pères, davantage capables qu'en d'autres milieux de verser des pensions alimentaires.

Les désunions conjugales ont donc un effet différent sur les individus selon leur appartenance sociale (sexe, âge, scolarité, revenus). Mais les études recensées indiquent toutes que dans le processus de désunion, ces mères sans alliance subissent partout, à la ville ou à la campagne, en milieu aisé ou modeste, une détérioration de leurs conditions de vie et une relégation sociale marquée.

* * *

Pour conclure ce chapitre, rappelons-en les principaux éléments.

Si la révolution contraceptive et la généralisation des petites familles avaient caractérisé les années 60 sur le plan démographique, la période 1970-1985 est marquée par une poussée manifeste, à la fois ample et rapide, des dissolutions matrimoniales: après la libéralisation de la loi canadienne, la courbe des divorces bondit, puis la nuptialité fléchit pendant que s'accroissent fortement les unions libres et les naissances hors mariage. Dans la même foulée, le nombre de familles monoparentales augmente considérablement et les responsables en sont de plus en plus jeunes.

Ces chiffres, qui indiquent un malaise majeur sinon un éclatement du mariage légal, on a d'abord cherché à les comprendre par l'étude du *mariage dans la société*: comment, sous la pression d'individus et de groupes progressistes, et notamment du Mouvement des femmes, les grandes institutions sociales vont-elles contribuer à remodeler l'encadrement matrimonial, à l'adapter aux temps nouveaux en même temps qu'à pallier ses défaillances? Certaines initiatives vont dans le sens d'un changement matrimonial: ainsi l'appareil juridique va reformuler de façon importante le droit de la famille, complètement vétuste au début des années 1960; dans son rôle d'État-providence, l'État va étendre son assistance, adapter aux risques de dissolution matrimoniale certaines de ses politiques sociales et tenter pour la première fois de secourir toutes les femmes seules, en particulier les mères sans alliance; il va en outre instaurer, mais lentement, des mesures pour faciliter la conciliation du travail et de la maternité (services de garde, congés de maternité, subventions et allocations sélectives). Après l'implantation d'un système d'enseignement plus ouvert, les filles vont faire des percées spectaculaires dans l'éducation supérieure mais le domaine du travail et des institutions économiques demeure, pour la plupart d'entre elles, un château fort masculin, et ce, malgré que les taux d'activité féminine soient élevés. L'accès différencié des femmes au travail est sans doute, avec la volonté politique mitigée d'implanter des services de garde, l'une des plus sérieuses résistances que rencontre le changement matrimonial des années 70.

Depuis la crise de 1982, certains changements sociaux liés aux transformations du mariage dans la sphère publique sont nettement freinés: on constate une érosion inquiétante de l'État-providence (désinstitutionnalisation, coupures au secteur hospitalier et aux secteurs de soins pour personnes âgées et handicapées); en plus d'imposer la prise en charge de ces personnes «improductives» aux femmes dans les familles, l'État coupe les subventions aux divers groupes de femmes qui assurent des services à ces mêmes populations. Malgré l'annonce d'une politique pour soutenir les familles, des acquis sont menacés: par exemple, les allocations familiales sont désindexées ou leur bénéfice est compromis; les mesures fiscales favorables aux familles monoparentales et même à l'autonomie économique des femmes sont diminuées. Enfin il apparaît nettement que l'implantation de la microtechnologie menace de nombreux emplois féminins.

Les changements sociétaux du mariage ne manquent pas de se répercuter sur la vie des *couples dans les maisonnées*.

Depuis 1970, bien que peu nombreuses[66], les études des ethnologues et des sociologues qui se sont intéressés à la conjugalité dans la vie quotidienne ont fait écho aux transitions du mariage observées dans la société. Ces auteurs signalent que des *dissolutions matrimoniales* manifestes et de moins en moins marginales s'observent: dans les petites villes (Moreux, 1982) où la tolérance doit s'accroître et les normes, s'assouplir devant les comportements nouveaux: divorce, maternité célibataire, avortement, etc.; dans les grandes villes, où le choix de la cohabitation s'affirme comme une contestation partielle du mariage lui-même (Lazure, 1975) et où apparaissent davantage des ménages familiaux dirigés par des femmes seules (Gauthier, Tcheng-Laroche, Dandurand, Bellware et Charest).

Moins qu'un tableau sur les dissolutions matrimoniales, l'ethnosociographie des années 1970-1985 livre cependant surtout des données sur l' *évolution des modèles conjugaux* chez des couples stables. Au début de la décennie 1970, à Douceville (Moreux, 1982) aussi bien qu'à Montréal (Sévigny, 1979), cette évolution (ou sa nécessité) se lit dans le «malaise indéfinissable» des femmes de classe moyenne, qui s'accompagne en général d'une volonté de changement chez les femmes de tous les milieux, et de leur sentiment de proximité des jeunes; en contrepoint, la résistance des hommes à délaisser le statu quo apparaît assez manifeste, mis à part le phénomène encore bien récent et très marginal des nouveaux pères (voir Gauthier, 1987). Dans les autres études, un rapport conjugal plus égalitaire est souhaité (Carisse et Dumazedier, 1975; Lazure, 1975) et, semble-t-il, certains gains auraient été obtenus, si l'on se fie aux études des années 1980 (Vinet *et al.*, 1982; Therrien et Coulombe-Joly, 1984). Pouvons-nous affirmer, comme l'ouvrage de Lazure (1975) et celui de Carisse et Dumazedier (1975) pourraient le laisser croire, que dans ces changements de la vie matrimoniale, les milieux aisés et les personnes plus scolarisées ont été les plus novateurs? Bien qu'ils aient plus de ressources matérielles pour faire face aux changements matrimoniaux, en particulier aux désunions, les élites ne sont pas toujours les pionniers des modifications des moeurs. N'en donnons qu'un exemple à titre d'indication: les opinions avant-gardistes, la tolérance face aux dissolutions matri-

moniales et la vie quotidienne peu empreinte de domination observées chez le couple ouvrier de Centre-Sud et chez Louise en
particulier (Sévigny, 1979). Au-delà de ces quelques indices, et
même si les monographies ne nous livrent que des données
fragmentaires, il ressort assez nettement de l'examen des rapports conjugaux dans la maisonnée que ce sont *des femmes qui
imposent le changement ainsi que des jeunes*, et qu'ils semblent
le faire plus précocement s'ils vivent dans un *grand centre urbain*.

NOTES DU CHAPITRE 2

1. L'indice synthétique de divortialité qui est ici présenté est «la somme des taux de divorces observée pendant une année donnée. Il représente la proportion des mariages susceptibles de se terminer par un divorce si les taux de divortialité observés pendant l'année de référence demeurent constants pendant une longue période» (Messier, 1984: 162). Voir annexe, tableau 1.

2. Cet indice est «la somme des taux de nuptialité par âge des célibataires jusqu'à 49 ans pendant une année donnée. Il représente la proportion des célibataires susceptibles de se marier avant 50 ans, si les taux de nuptialité observés pendant l'année de référence restent pendant une longue période» (Messier, 1984: 162).

3. Voir annexe, tableau 2.

4. Voir annexe, tableau 5. Voir également tableau 4.

5. Voir annexe, tableau 6.

6. Voir annexe, tableaux 7 et 8.

7. Une étude québécoise menée en 1971 auprès d'un échantillon de femmes rapporte ainsi ses données sur la motivation au travail des plus jeunes (16-35 ans).

   «Chez les [femmes] moins instruites, plus de 60 pour cent travaillent par nécessité économique alors que moins de 10 pour cent le font par intérêt pour le travail. Chez les plus instruites, c'est le contraire: 45 pour cent travaillent parce qu'elles aiment leur travail alors qu'environ 10 pour cent le font par nécessité économique. Dans les catégories intermédiaires, c'est le désir d'améliorer le niveau de vie qui regroupe la plus grande fraction de femmes. De façon systématique, la fraction de celles qui travaillent par nécessité économique diminue quand le niveau d'instruction augmente alors que la fraction de celles qui travaillent par goût s'accroît» (Henripin et Lapierre-Adamcyk, 1974: 76).

8. Le partage qu'annoncent les enquêtes d'opinion progresse lentement dans les faits. Vandelac (1985: 313) rapporte des données canadiennes à ce propos:

«En août 1981, un sondage Gallup révélait qu'entre 1976 et 1981, le pourcentage des Canadiens considérant que les hommes devaient partager les tâches ménagères avec les femmes était passé de 57 % à 72 %. Toutefois ces données se sont effritées quand on a demandé aux hommes et aux femmes mariées si les maris participaient régulièrement, occasionnellement ou jamais aux tâches domestiques. En effet, 44 % des hommes en 1976 et 47 % en 1981 prétendent y participer régulièrement, alors que, pour leur part, les femmes considèrent qu'ils ne le font que dans 33 % des cas en 1976 et 37 % en 1981.»

9. Le salaire dit familial s'est imposé comme notion, au Canada, dans la première moitié du XXe siècle. Comme son épithète l'indique, c'est le salaire destiné, en principe, à être redistribué à la famille et qui permet non seulement la reproduction du travailleur mais aussi celle de sa femme et la production de ses enfants. Alors que le salaire d'appoint n'assure guère que la reproduction de la travailleuse elle-même.

10. Presque aussi nombreuses que les hommes dans les facultés universitaires de Droit, Médecine, Pharmacie et Comptabilité en 1978, les femmes tirent de l'arrière dans les Sciences pures et appliquées et dans l'Administration; dans ce dernier domaine, elles auraient rattrapé ce retard dans les années 80 et seraient en 1985 majoritaires en Médecine et en Pharmacie.

11. Il s'agit de celles qui sont âgées de moins de 35 ans et qui sont issues des promotions de mariage de la fin des années 1950 et de la décennie 1960.

12. Si, au Québec, la contraception est très majoritairement une initiative féminine, en Europe, par exemple, «le coïtus interruptus a été longtemps la méthode la plus utilisée» (Henripin et Lapierre-Adamcyk, 1974: 108), ainsi que le condom, qui indiquent une initiative masculine.

13. Ainsi, au milieu des années 1980, on estime qu'environ 25 000 avortements sont effectués chaque année au Québec, dont seulement 9 000 dans des centres hospitaliers accrédités alors que 2 000 se font dans les C.L.S.C., 2 000 dans les Centres de santé des femmes et sans doute environ 12 000 dans des cliniques privées des bureaux de médecins, de façon plus ou moins clandestine (Bulletin de la coalition québécoise pour l'avortement libre et gratuit, février 1987: 12).

14. En 1973, une alliance autour de l'avortement réunit féministes autonomes et comités de condition féminine des syndicats (Clio, 1982: 486), puis en 1981, à nouveau plusieurs groupes dont les groupes autonomes et les féministes chrétiennes: voir leur excellente réponse à la lettre des évêques québécois sur l'avortement: «La vie des femmes n'est pas un principe», *Le Devoir*, 11 décembre 1981.

15. Dans une étude menée auprès de couples de la classe ouvrière blanche américaine, Lilian Rubin révèle bien les articulations entre travail, procréation et mariage. Elle rapporte que l'une des caractéristiques de ce mariage en 1970 en était la précocité et le fait qu'il s'accompagnait fréquemment de conceptions prémaritales (44 % des cas dans son échantillon, pourcentage très proche des statistiques nationales sur les mariages ouvriers des «teena-

gers» aux États-Unis: voir note 9, p. 226). Les données qualitatives dont dispose Rubin lui permettent de bien montrer comment la mystique du mariage et le romantisme qui entoure les fréquentations expliquent, selon elle, bien des échecs de contraception qui entraînent alors des mariages précoces qui, eux-mêmes, obligent les maris pourvoyeurs à s'établir de façon stable à un poste de travail et à mettre fin à une «vie de garçon» parfois assez dissolue (le tiers des hommes de son échantillon ont été considérés «jeunes délinquants»). On voit ainsi comment discipline du travail, de la procréation et du mariage sont indissolublement liés. Si la société avait offert des possibilités de contraception ou d'avortement à ces trop jeunes couples, cette chaîne d'événements aurait pu être brisée: un mariage hâtif aurait pu être ajourné avec de meilleures garanties de stabilité matrimoniale quand se présenterait le conjoint ou la conjointe de la maturité.

16. Comparativement à la «situation des garderies en Italie, en Allemagne de l'Ouest et en France, pays qui reçoivent en institution entre 67 et 95 % des enfants de 3 à 6 ans, le Canada (qui ne reçoit que 15 % des enfants du même âge dont la mère est travailleuse) est en retard sur bien d'autres pays industrialisés de l'Occident pour ce qui est des services de soins aux enfants». R. Abella, «L'égalité en matière d'emploi» dans *Pour un partage équitable*, compte rendu du colloque sur la situation économique des femmes sur le marché du travail, novembre 1984, Ottawa, Conseil économique du Canada, p. 130.

17. Le comité interministériel qui met sur pied l'Office des services de garde à l'enfance (loi adoptée en 1979) préconisait une subvention aux garderies de 10 $/place/jour. Dans les faits, le financement direct ne sera que de 2 $, montant qui, en 1986, n'est majoré qu'à 3 $ (Léger, 1986: 118, 121).

18. On est alors au début de la campagne référendaire et on peut penser que le Parti québécois, au pouvoir, considérait cette mesure comme un atout pour se gagner l'électorat féminin (voir Dandurand et Tardy, 1981). Le Parti québécois avait d'ailleurs à l'époque une forte proportion de femmes parmi ses membres. Pour le lecteur non averti, rappelons qu'en 1980, le Parti québécois, partisan de la souveraineté du Québec dans l'État fédéral canadien, lançait un référendum auprès de la population de la Province pour obtenir l'assentiment populaire à la négociation de cette souveraineté. Les résultats en ont été négatifs, les partisans du oui ne recueillant que 40 % du vote populaire, le 20 mai 1980.

19. La seule différence qui subsiste: pour les enfants nés hors mariage, la présomption de paternité n'existe pas et ils doivent faire l'objet d'une reconnaissance de paternité.

20. En Alberta, au début des années 80, les ordonnances de pensions pour ex-conjoint (alimony) représentaient seulement 5 % de toutes les ordonnances de paiements d'entretien (Alberta, 1981: 49-52). Les chiffres, pour le Québec des années 80, seraient de 11 %. (Pelletier, 1987: 108).

21. Cette province recueille, avec la perception automatique, 85 % des montants de pension qui ont fait l'objet d'ordonnances.

22. La loi 48, déposée en mai 1985, a été adoptée en juin 1986 et n'avait pas encore été proclamée, le 21 août 1987, au moment de notre téléphone au ministère fédéral de la Justice. Pourtant le ministre de la Justice du temps, M. John Crosbie, avait dit à la presse à propos du défaut de paiement des pensions: «C'est un scandale national!»

23. C'est également le contexte du référendum. Voir note 18.

24. C'est donc dire que les parents seuls qui n'ont pas déjà cette ordonnance n'ont pas de recours légal. Selon une étude québécoise récente (Renaud *et al.*, 1987: 225), 44 % des chefs de famille monoparentale séparés et divorcés n'auraient pas *demandé* de pensions alimentaires à l'ex-conjoint.

25. Selon la Loi de l'aide sociale, les gains admissibles au-delà du montant de la prestation sont de seulement 40 $/mois par adulte et de 5 $/mois par enfant, et seuls deux enfants sont admissibles. Au-delà d'un maximum de 50 $, les pensions versées par le mari sont donc récupérées par l'État.

26. Comme dans le cas de la loi 48 (voir note 22), les choses traînent: annoncée en avril 1986 (CCPF, 1986: 125) comme devant être «disponible d'ici quelques mois», la recherche est déposée au bureau du ministre provincial de la Justice depuis le début de 1987; les résultats n'avaient pas été rendus publics en août 1987. Au moment d'aller sous presse, ce rapport est disponible, mais trop tard pour en intégrer tous les résultats à la présente étude. Voir Sylvie Pelletier, *Pensions alimentaires 1981 à 1986. Attribution et perception*, enquête réalisée pour la Direction des Communications, ministère de la Justice, Montréal, février 1987.

27. Par exemple, le front commun formé à l'occasion de la présentation du projet de loi sur la perception des pensions alimentaires a obtenu des amendements importants: service gratuit pour les créanciers, dette alimentaire privilégiée quand le débiteur a plus d'un créancier, possibilité de saisie de tous les biens et revenus·en vue de l'acquittement de la pension alimentaire et, dans les cas où le créancier est prestataire de l'aide sociale, subrogation automatique du ministère des Affaires sociales.

28. Les changements au rituel du mariage (qui était le même depuis 1614) sont ainsi décrits par le père P. M. Guy: «La bénédiction nuptiale (tirée de l'épitre de Paul) [...] faisait difficulté car elle traçait ses devoirs à l'épouse sans mentionner ceux de l'époux. Ainsi le projet de la constitution prévoyait-il que la prière serait modifiée de façon à pouvoir être dite sur les deux époux [...] mais (conservée partiellement) pour respecter le caractère propre de cette bénédiction sur l'épouse seule comme image de l'Église épouse du Christ, tout en souhaitant que soit corrigé ce qui reflétait la situation inférieure de la femme dans le monde antique.» «Le rituel du mariage» dans *La Maison-Dieu*, 1969, n° 99, p. 127.

29. On reconnaît ici une manifestation intéressante de cette idéologie de la communication dans le couple, que Colette Carisse (1974: 113, 119) considère majeure dans la vie familiale des années 70.

30. Pour donner un exemple de l'ampleur des interventions médicales auprès des femmes, le Conseil du statut de la femme rapporte qu'en 1976, «les médecins ont présenté à la Régie (de l'assurance-maladie du Québec) 1 033 993 réclamations pour huit types d'actes médicaux reliés à la psychothérapie [sic] individuelle auprès des femmes» (C.S.F., 1978: 114).

31. Et, dans sa période d'implantation, pignon sur quartier populaire: dans son ouvrage sur la réforme de la santé et des services sociaux au Québec (*Du pain et des services*, Montréal, Saint-Martin, 1981), Frédéric Lesemann (p. 194) considère que la fonction première du C.L.S.C. fut «d'élargir et d'intensifier l'utilisation de l'organisation comme instrument de gestion sociale des catégories exclues de la population». Il faut préciser que les populations exclues sont non seulement les ménages marqués par la pauvreté, l'isolement, la déviance ou la maladie, mais plus largement, les femmes et les enfants et, en particulier parmi eux, les exclus du mariage.

32. À travers les programmes des mères nécessiteuses et de l'aide sociale, l'État devient clairement le pourvoyeur de plusieurs familles à chef féminin, en somme de mères sans alliance. C'est pourquoi certaines chercheures ont désigné cette fonction du terme d'État-mari ou d'État-papa (A. Gauthier, 1985).

33. Depuis 1980, parmi les familles assistées, les familles monoparentales sont plus de deux fois plus nombreuses que les biparentales. Elles y sont donc largement surreprésentées puisqu'en 1986, on compte un foyer monoparental pour quatre qui sont biparentaux.

34. Ces chiffres ne sont pas disponibles pour les années 1971 à 1974 selon un fonctionnaire du Ministère même.

35. Il importe de savoir qu'en dollars constants, malgré certaines augmentations et indexations, les allocations familiales ont constamment décru depuis la dernière guerre: de 5,5 % du revenu familial moyen au Québec en 1951, elles n'en étaient plus que l'équivalent de 1,9 % en 1971; en 1976, elles avaient remonté à 3,6 % et en 1981 étaient de nouveau en baisse à 2,8 % (A. Gauthier, 1985: 276).

36. Ruth Rose, *Points saillants de la nouvelle politique fiscale. Le budget Duhaime d'avril 1985, le projet de loi 2 et la formule TPD-1*, miméo, sans date.

37. Du côté fédéral, on compte aussi un organisme consultatif du même genre, le Conseil consultatif canadien du statut de la femme (C.C.C.S.F.). Comme le C.S.F., ces organismes avaient vu le jour suite aux recommandations de la Commission sur la situation de la femme au Canada, (Commission Bird).

38. La loi (québécoise) N° 58 sur les régimes complémentaires de retraite, déposée en juin 1985 par la ministre péquiste, Pauline Marois, n'a pas été votée. Elle n'a pas non plus été retenue par le parti libéral, au pouvoir depuis décembre 1985.

39. Les extraits de presse suivants témoignent d'une telle réorientation de l'État. Sont ici rapportées les paroles de députés ou technocrates du gouvernement provincial:

«Il est envisageable de chercher des moyens pour inciter les gens à s'occuper eux-mêmes de leurs enfants, des personnes âgés, des personnes handicapées, notamment en instituant sur une plus grande échelle les allocations-disponibilité pour les personnes à la maison. L'un dans l'autre, ça nous coûtera moins cher que d'investir encore et encore dans de nouvelles institutions» (*La Presse*, 5/12/81).

«Dorénavant, le gouvernement du Québec fera en sorte que les personnes âgées restent le plus longtemps possible dans leur milieu naturel» (*La Presse*, 24/4/84).

40. Les refuges d'autrefois, tenus par les religieuses, n'accueillaient pas toujours les enfants.

41. «L'inquiétude des Centres de femmes croît chaque jour, a indiqué à la ministre la présidente du regroupement (des centres de femmes), Madame France Cormier. La situation est à son pire: coupures de 5 % au Secrétariat d'État à Ottawa; gel au ministère de la Santé et des Services sociaux; moratoire qui dure toujours au ministère de l'Éducation et qui empêche les Centres de femmes d'être accréditées; difficultés accrues pour obtenir un numéro de charité à Revenu Canada; accès plus difficile aux projets de créations d'emplois», *Le Devoir*, 1/12/86.

42. Après le «Father Knows Best» des années 1950, modèle de la famille conjugale «intacte» à autorité patriarcale, on voit apparaître divers modèles, surtout monoparentaux, dans les années 1960 et 1970: «Family Affair» (Oncle Bill), «Partridge Family», «Nanny», «My Three Sons», «The Brady Bunch». Au Québec, après les illustrations du modèle traditionnel avec «La famille Plouffe» et «Quelle famille», le modèle monoparental a été présenté plus tardivement dans «Dominique» et «Marisol», soit à la fin des années 70, et au début des années 80 avec notamment «La Bonne Aventure».

43. Cette constatation est corroborée par plusieurs enquêtes de l'époque. Henripin et Lapierre-Adamcyk (1974: 104) ont posé la question aux femmes interrogées en 1971: «Croyez-vous qu'une catholique doit se sentir moralement obligée de suivre la règle de l'Église, qu'elle soit d'accord ou non?» Les résultats qu'ils ont obtenus sont très proches d'un sondage d'opinion mené en 1968 et auquel une majorité de femmes (85 %) avait répondu (Clio, 1982: 464): oui, 13 %; non, 78 %; ne se prononcent pas, 9 %. On est surpris des résultats qu'à une question identique, obtiennent Dupras, Levy et Tremblay (1978: 85) par un sondage d'opinion réalisé en 1978 auprès des Québécois (avec échantillon représentatif de la province): 26,6 % des répondants (hommes et femmes) approuvent la position de l'Église sur la contraception, 67,7 % la désapprouvent et 8,7 % sont sans opinion. Comment interpréter ce pourcentage plus élevé de ceux qui approuvent la position de l'Église en 1978? À un changement d'opinion entre le début et la fin de la décennie 1970? Au fait que la question est formulée différemment? Ou encore, au fait que les hommes sont plus nombreux à répondre en 1978? Malheureusement, les résultats du sondage de Dupras *et al.* n'étant pas ventilés selon le sexe, nous ne pouvons répondre à cette dernière interrogation.

44. «À Douceville, comme dans tout le Québec, la famille traditionnelle, patriarcale, étendue et fermée, a depuis plusieurs décennies évolué vers le type conjugal égalitaire» (Moreux, 1982: 52).

    Étonnante assertion de Moreux, qui diagnostiquait un «néo-matriarcat» à Saint-Pierre en 1964 (voir *supra*). À Douceville, le matriarcat ne serait plus qu'«une perception des femmes de l'autorité domestique» (Moreux, 1982: 259).

45. On se rappellera qu'entre 1969 et 1974, années du terrain à Douceville, le mariage civil est dans la province une pratique adoptée surtout par les Montréalais et plutôt rare (entre 2 et 8,5 % du total des mariages (Roy, 1977: 5).

46. Au lexique pour lecteurs non québécois, Moreux traduit «accoté» par «en concubinage» (1982: 443).

47. 75 informateurs(trices) choisis(es) selon leur orientation à l'endroit de la tradition et du modernisme et qui ont fait l'objet d'«entrevues cliniques» (p. 31).

48. Ces entrevues sont elles-mêmes une sélection, étant choisies parmi la vingtaine d'entrevues en profondeur faites dans cinq quartiers de la région montréalaise. Voir Lamarche, Rioux et Sévigny, 1973. Voici quelques données supplémentaires sur les trois couples interviewés dans Le Québec en héritage. À Rosemont, un couple à la fin de la trentaine, Claire, ménagère et mère de trois enfants (de 3 à 12 ans) et Gilles, technicien en informatique à l'emploi d'une compagnie multinationale; à Centre-Sud, un couple dans la cinquantaine, Louise, ménagère et mère de neuf enfants (de 10 à 32 ans) et André, ouvrier non spécialisé et petit salarié; à Outremont, un couple en début de quarantaine, Sylvie, ménagère, mère de trois enfants (de 10 à 14 ans), secrétaire médicale à temps partiel et Louis, biochimiste à l'emploi d'un institut de recherche. Le couple de Centre-Sud appartient à la promotion de mariage des années 30, ceux de Rosemont et d'Outremont, à celle des années 50.

49. 65 % d'entre elles ont une formation postsecondaire et elles sont réparties selon l'âge, de la vingtaine à la cinquantaine et plus (1975: 97-98).

50. Combien d'entre elles vivent en union consensuelle? Les auteurs n'ont pas précisé ce point.

51. Seraient-elles des *familles* innovatrices?, se demandent les auteurs, p. 162.

52. 62,7 % des hommes et 50,7 % des femmes ont accédé à l'université (Lazure, 1975: 42).

53. 9 % des hommes, 1,5 % des femmes (Lazure, 1975: 262).

54. En 1961, 65 % des familles canadiennes avaient un soutien unique et 14 % un double soutien. En 1981, les proportions sont presque inversées: seulement 16 % n'ont qu'un pourvoyeur, et 49 % en ont deux. Mais, bien sûr, le second pourvoyeur a rarement un emploi et des revenus équivalents au premier (Rapport Cooke, 1986: 8).

55. Voir Vinet *et al.*, 1982: 64. Parmi ceux qui ont une charge parentale, la moitié ont des enfants en bas âge (5 ans et moins), l'autre moitié, des enfants d'âge scolaire. 70,5 % de ces femmes sont d'ailleurs âgées de 25 à 44 ans.

56. 96,2 % des ouvrières interrogées sont sur le marché du travail depuis plus de cinq ans (p. 64). Il ne s'agit donc pas d'emplois occupés «de façon temporaire ou accessoire» (p. 76).

57. Chez les jeunes de moins de 35 ans, cette proportion est plus élevée: 4 femmes sur 10 (p. 115).

58. Les résultats concernant les travailleuses à temps partiel sont analysés séparément mais présentent peu de différences sur les points abordés dans la présente section: ils n'ont donc pas été distingués dans l'exposé qui suit (voir Therrien et Coulombe-Joly, 1984: 179).

59. Seulement 10,7 % d'entre elles ont 13 ans et plus de scolarité et 27,7 % ont onze ou douze ans de scolarité (Therrien *et al.*, 1984: 37). Dans l'enquête de Vinet *et al.* (1982: 102), 38,6 % des ouvrières ont 10 ans et plus de scolarité.

60. Dans l'étude de Vinet *et al.*, la question posée portait non pas sur la gestion du budget mais sur «le contrôle des dépenses», ce qui peut ne pas être exactement semblable. Vinet (1982: 179 et 117) donne les résultats suivants: dans 57 % des cas, le contrôle se fait de façon conjointe; pour 30 % des couples, c'est la femme qui le fait, pour 12 %, c'est l'homme. Ici transparaît la tendance des ménages ouvriers à confier aux femmes la gestion du budget (voir Rubin, 1976).

61. Ces modèles patriarcaux sont ceux qui prédominent dans les rapports des couples séparés et divorcés dont nous avons analysé l'histoire matrimoniale dans les *Mères sans alliance* (Dandurand et Saint-Jean, 1988).

62. Le rôle de père apparaît en transformation dans ces quelques indications: en même temps que s'implantent des modèles plus permissifs d'éducation, et que s'impose moins le rôle punitif du père, l'implication de celui-ci à l'éducation des enfants se concrétise dans sa participation aux jeux et activités des enfants. Ce sont des sphères d'intervention que certaines études ont attribué aux «nouveaux pères» et qui perpétuent un clivage des activités maternelles et paternelles non plus selon l'axe d'intervention punitive/affective mais ludique/d'entretien. Voir Devreux, 1984.

63. 73 % des répondantes ont un diplôme postsecondaire et 80 % ont un poste qualifié sur le marché du travail.

64. Il s'agit des mêmes quartiers que ceux choisis par Sévigny (1979: 256) comme étant «la résultante de plusieurs indicateurs de la classe sociale»: Outremont: professionnels et cadres; Rosemont, employés et ouvriers spécialisés; Centre-Sud, ouvriers non spécialisés et assistés sociaux.

65. Le salaire d'appoint est celui qui est versé pour la plupart des emplois féminins. À titre d'exemple, en 1981, le seuil de pauvreté officiel pour une famille comportant un adulte et un enfant était de 9 281 $; pour un adulte et 3 enfants, il était de 14 087 $. La même année, les revenus moyens versés aux

travailleuses québécoises étaient les suivants: sténographe et dactylographe, 9 843 $; infirmière auxilière, 9 875 $; caissière, 5 984 $; réceptionniste, 8 062 $; coiffeuse, 6 760 $. Voir Messier, 1984, p. 143, tableau 4203 et Dandurand, 1982, p. 240.

66. On peut dire que la sociologie et l'ethnologie de la famille ont réagi par un certain silence à l'éclatement de la famille des années 70. Les moralistes ont fait de même: on ne savait plus de quelle famille il s'agissait, ni quel discours tenir.

Conclusion

À travers l'observation de diverses facettes de la vie matrimoniale, on a cherché à voir comment, dans la société québécoise du dernier quart de siècle, le mariage a été mis en question.

Pour saisir une telle évolution, le présent ouvrage a rapporté des données statistiques qui attestent de ces transformations: chute des taux de nuptialité, augmentation des taux de divorce, de cohabitation et de naissances hors mariage. On a également rappelé qu'en quelques années, autant le contexte de la conjugalité (du «devoir» à l'amour conjugal) que son cadre institutionnel s'étaient considérablement élargis: en effet après avoir admis, pendant des dizaines d'années, un mariage exclusivement religieux, en une décennie, notre société a adopté le mariage civil puis toléré ce «mariage sans papier» qu'est l'union consensuelle. Au-delà de ces indications ostensibles des transformations matrimoniales, cet essai a cherché à cerner de façon plus systématique l'évolution des rapports conjugaux et l'accroissement des dissolutions matrimoniales dans la sphère privée et, dans la sphère publique, la modification du système matrimonial.

L'exposé de chacune de ces dimensions, entre 1960 et 1985, montre bien l'impossibilité de décrire les rapports conjugaux et leurs avatars dans la maisonnée sans considérer les péripéties de la sphère publique; l'impossibilité, également, d'entrevoir l'évolution du mariage et des rapports de sexes dans la société sans examiner les arrangements de la vie domestique.

L'ÉVOLUTION DES RAPPORTS CONJUGAUX

À la lumière de certains éléments théoriques concernant les rapports conjugaux en société contemporaine de même qu'à l'aide des données déjà exposées de l'ethnosociographie québécoise, ont été esquissés des modèles d'union (légale et consensuelle) qui ont caractérisé les rapports conjugaux depuis 1960. Cela s'applique au Québec, mais aussi, avec quelques variantes, à bien d'autres sociétés d'Occident. Cette typologie (il s'agit donc d'un schéma très simplifié) est basée sur une caractéristique centrale des sociétés industrielles déjà exposée en introduction: de façon plus draconienne qu'en société paysanne, ce type de société a assigné chacun des sexes à des lieux différents de la vie sociale: les femmes à la sphère privée, la maison, et les hommes, à la sphère publique, l'usine ou le bureau. À cette forme de division sexuelle du travail dans la société, a correspondu une allocation spécifique de ressources et de pouvoirs à chacun des membres du couple. C'est avec l'assouplissement de ces affectations dichotomiques que s'est faite l'évolution des modèles d'union.

Le modèle ménagère/pourvoyeur

Ce type d'arrangement matrimonial est caractérisé par *l'affectation* quasi *exclusive* des femmes à la sphère domestique, et des hommes, à la sphère publique. Les femmes étant privées d'un accès aux ressources et aux pouvoirs de la sphère publique, les *rapports conjugaux* sont fondamentalement *inégalitaires*: ils ont tendance à être caractérisés par la dépendance économique et la sujétion des femmes au mari, de même que par la contrainte matrimoniale (la subsistance des femmes dans la vie publique étant fort difficile hors du mariage). L'inégalité entre époux n'est pas toujours perçue comme telle mais quand c'est le cas, elle est acceptée avec un certain fatalisme et, la plupart du temps, ne fait pas question: imposés par la loi et les conditions de vie, ces rapports conjugaux sont aussi justifiés et prescrits par les normes religieuses du mariage chrétien ainsi que par celles des sciences du comportement (la famille «normale» et «intacte» des psychologues et travailleurs sociaux).

Ce modèle d'union est celui qui domine la phase d'industrialisation et il est encore nettement prépondérant dans la société québécoise du début des années 60: c'est celui qu'on observe en milieu rural (Verdon, 1973; Tremblay *et al.*, 1969), dans les grandes villes (Gagnon, 1968, Valois, s.d.) et en banlieue de Montréal (Moreux, 1969), où le contrôle des naissances est alors la seule norme religieuse mise en question; même en milieu défavorisé urbain (Letellier, 1971), où les dissolutions matrimoniales sont manifestes, le modèle ménagère/pourvoyeur n'est pas ébranlé. Dans les monographies des années 70, ce modèle est encore fort répandu, mais des observateurs (Moreux, 1982; Sévigny, 1979) signalent ce «malaise indéfinissable» des femmes, observé par Betty Friedan aux États-Unis de même qu'une nette volonté de changement chez plusieurs d'entre elles. On rapporte en même temps une volonté des hommes de maintenir le statu quo, car les arrangements traditionnels leur conviennent. Enfin chez les femmes au foyer des années 80 (Therrien *et al.*, 1984), bien qu'une forte dépendance économique les caractérise encore dans un cas sur trois, pour l'ensemble, les rapports conjugaux paraissent un peu plus égalitaires: l'assouplissement des normes, des lois et des conditions de vie, la conscience plus vive de leurs droits que manifestent les femmes de même que les gains faits par les groupes militant pour l'égalité des sexes ont sans doute eu un impact sur leurs conditions de vie. L'union ménagère/pourvoyeur demeure cependant *davantage celle des conjoints légaux que des conjoints de fait*: ces derniers auront plutôt tendance à adopter les modèles du couple à double salaire, tout en cherchant à atteindre l'idéal du couple «symétrique» (Lazure, 1975).

Le ménage à double salaire

Avec l'accès de plus en plus répandu des femmes mariées au marché du travail, le modèle d'union qui s'est imposé progressivement dans les pays développés est celui du *ménage à double salaire*: il marque l'entrée du mariage dans la modernité et se caractérise par une *affectation encore prépondérante* (mais non plus exclusive) des *femmes à la sphère domestique*, des *hommes à la sphère publique*: la mère-épouse est également travailleuse salariée, même si c'est souvent à temps partiel et de façon discontinue; toujours travailleur attitré, le père-époux est davantage incité (avec un succès fort mitigé [voir Le Bourdais et al., 1987]) à partager les tâches domestiques. Tout de même, les femmes ayant gagné un certain accès aux ressources et aux pouvoirs de la sphère publique, les *rapports conjugaux* s'en ressentent et ont tendance à être *moins inégalitaires*: la dépendance économique des femmes est moins grande; abolie dans certaines lois, leur sujétion est atténuée; et enfin, la féminité a un visage plus multiple: au-delà des seuls rôles domestiques (mère, épouse), les femmes sont travailleuses, citoyennes, bénévoles, etc.: rôles multiples mais souvent lourds et la nouvelle féminité s'incarne maintenant dans l'archétype de la super-femme (Laurin-Frenette, 1986). Ce modèle de ménage à double salaire a été à tort qualifié de «symétrique» (Young et Willmott, 1973): il apparaît plus juste de le désigner comme un ménage «à double carrière» (Rapoport, 1973) (quoique le terme «carrière» ait une application restreinte aux milieux de classe moyenne et supérieure).

Bien qu'il y ait déjà un certain nombre de ménages à double salaire dès les années 60 au Québec, selon les données statistiques, ce modèle ne devient majoritaire que dans les années 80. L'ethnosociographie s'intéresse à ce type de conjugalité pendant la décennie 70, décrivant des femmes innovatrices (Carisse et Dumazedier, 1975) et des jeunes couples non mariés (Lazure, 1975). Menée au début des années 80, une étude sur des ouvrières mariées, qui ont un emploi stable et à plein temps (Vinet *et al.*, 1982), laisse voir des rapports conjugaux qui, sans être «symétriques», paraissent néanmoins plus égalitaires qu'autrefois, comportant un partage encore partiel des responsabilités et des pouvoirs domestiques. Enfin, les études sur les mères sans alliance laissent voir que les femmes qui, mariées, avaient un emploi, sont mieux préparées que les épouses au foyer à faire face aux désunions et à la monoparentalité (Tcheng-Laroche, 1977 et Dandurand, 1982). Cependant une étude plus approfondie de l'histoire matrimoniale de ces couples qui, par la suite, connaîtront la désunion (Dandurand et Saint-Jean, 1988) indique que pour eux il y aurait peu de différence dans le pouvoir marital des épouses ménagères et des épouses travailleuses: ce qui montre que le double salaire des conjoints, tout en étant une condition importante, n'est pas un élément suffisant pour assurer une plus grande égalité des rapports conjugaux.

Le couple «symétrique»

Le troisième type d'union est constitué du véritable couple «symétrique». Parce qu'il est une réalité pour un nombre encore bien restreint de couples, on peut le considérer comme un idéal à atteindre, *une utopie à réaliser*. Ce modèle d'union consacrerait l'*abolition quasi complète de l'affectation sexuée aux sphères* domestique et publique et partant, l'*accès égal mais pas nécessairement identique* des hommes et des femmes aux ressources et pouvoirs de la société, comme aux responsabilités de la maisonnée. Dépendance, sujétion seraient alors sociologiquement abolies dans les rapports matrimoniaux et l'apprentissage des rôles conjugaux et parentaux dans l'éducation prendrait autant d'importance pour l'un que pour l'autre sexe.

Il est probable que dans le contexte de la société québécoise des années 70 et 80, des couples singuliers aient réussi à établir une relation plutôt «symétrique». L'ethnosociographie québécoise sur la vie en couple ne signale pas explicitement l'existence de ce type de conjugalité; certaines femmes cependant expriment le désir de voir s'implanter ce modèle de rapport conjugal dans leur vie (Sévigny, 1979, Lazure, 1975, Vinet *et al.*, 1982) et dans la société (Carisse et Dumazedier, 1975). Bien qu'elles se soient améliorées, on peut donc dire que les conditions sociologiques de l'abolition d'une affectation sexuée aux sphères domestique et publique de la vie ne sont pas encore remplies et font encore partie des utopies à réaliser.

L'ACCROISSEMENT DES DISSOLUTIONS MATRIMONIALES

À côté des couples qui s'adaptent aux temps nouveaux et de ceux qui demeurent ensemble sans modifier les arrangements de leurs rapports conjugaux, il y a eu, pendant la période couverte, des couples qui ont brisé leur union (divorces, séparations) et des individus (mères ou pères célibataires, chefs de familles monopa-

rentales) qui ont élevé leurs enfants hors du contexte de la conjugalité: de telles dissolutions matrimoniales ont été de plus en plus
nombreuses à partir de la décennie 1970, témoignant dorénavant
de la fragilité accrue du lien conjugal. Si, sur le plan de l'adaptation psychosociale des divorcés, ces phénomènes ont reçu beaucoup d'attention de la part des scientifiques (en particulier aux
États-Unis), les aspects sociologiques de ces perturbations matrimoniales ont été relativement peu abordés et approfondis.

À plusieurs observateurs, notamment à la presse d'opinion
et aux moralistes, ces dissolutions matrimoniales sont apparues
comme un soudain revers, une sorte de maladie subite, un avatar
de la modernité. Cette vision des choses, s'appuyant sur une
analyse le plus souvent superficielle, idéalise le passé et noircit le
présent. Il faut donc se tourner vers des études moins normatives
pour trouver une version plus complexe des choses. Selon certains sociologues et économistes (voir par exemple Ross et
Sawhill, 1975), les dissolutions matrimoniales nombreuses qu'ont
connues les sociétés développées sont interprétées, soit comme
l'effet d'une transition dans les rapports hommes-femmes qui
elle-même se répercute sur une transformation des modèles
conjugaux, soit comme l'effet du passage d'une société industrielle à postindustrielle. Si ces interprétations en termes de changements sociétaux sont justes, elles n'expliquent pas tout: non
seulement les perturbations matrimoniales actuelles sont-elles un
effet visible de certaines tensions et conflits dans les rapports
entre les sexes, mais leur absence présumée du paysage d'autrefois est également une méprise. Cet ouvrage a donc tenté de
postuler que les mariages d'autrefois n'étaient pas, malgré les
apparences, d'une harmonie ni d'une solidité à toute épreuve: que
les arrangements matrimoniaux de la société industrielle rece-
laient une double fragilité, celle de la dyade conjugale et de la
dyade paternelle, fragilité qui ne pourrait manquer d'apparaître
sous son vrai jour quand se lèveraient les contraintes juridiques et
économiques qui maintenaient des couples et des familles *unis
aux yeux de la société* mais *désunis à l'intérieur de la maisonnée*.
C'est ce qui est arrivé à la fin des années 60 alors que la conjoncture a favorisé une plus grande autonomie des femmes et une
libéralisation nouvelle des moeurs et des lois.

Dans l'ethnosociographie de la vie conjugale et familiale, au Québec, les dissolutions matrimoniales sont donc apparues *d'abord latentes puis manifestes*. Les observations qui nous sont livrées sur les années 1960 étayent bien la fragilité des dyades conjugale et paternelle: par exemple, en 1964 en banlieue de Montréal, un couple sur quatre apparaît désuni mais cohabite encore pour des raisons de nécessité économique et de contrôle social (Moreux, 1969); alors que la mère est vue comme «reine du foyer», le père est décrit comme le «distributeur d'argent et de punitions» (Moreux, 1969; Verdon, 1974). Si les dissolutions matrimoniales sont alors plus manifestes en milieu sous-prolétarien (Letellier, 1971), elles paraissent assez bien «contrôlées» ailleurs. Mais les changements vont s'accélérer au tournant des années 70. Les relations mères-enfants sont significatives de la situation nouvelle: Colette Moreux rapporte que si, en 1964, les femmes interrogées à Saint-Pierre ne s'avèrent pas prêtes à braver l'opinion de l'entourage dans l'éventualité d'une grossesse hors mariage de leur fille, après 1970 à Douceville, des mères de famille, même «dépassées» par les moeurs audacieuses de leurs enfants, sont disposées à leur procurer du soutien en cas de «problèmes» (union libre, divorce), qui sont autant de dissolutions matrimoniales alors beaucoup plus manifestes. Et, en 1972-1973, quand Jacques Lazure recueille des informations sur 67 jeunes couples non mariés vivant à Montréal, ces derniers ne sont pas tous désapprouvés par leur famille, encore moins par leurs collègues de travail. Le seuil de tolérance s'est déjà élevé.

À partir de 1975, peu de monographies vont prêter attention aux dissolutions matrimoniales dans la sphère privée, si ce n'est quelques analyses sur les conditions de vie des familles monoparentales (P. Gauthier, 1982, 1986; Dandurand, 1982). Ce modèle familial peut être vu comme l'*aboutissement* des contradictions qui caractérisent la famille conjugale des sociétés industrielles. La double fragilité des dyades conjugale et paternelle est en effet inscrite dans le profil même de ces familles: elles sont majoritairement issues de ruptures d'union, matricentriques dans plus de huit cas sur dix, et le lien pères-enfants est loin d'être toujours maintenu. Alors qu'elles apparaissent plus ou moins marginalisées par leur entourage pendant les années 1970, dans une étude menée dans la ville de Québec au milieu des années 80, ces familles monoparentales sont présentées comme relativement intégrées à leur entourage (parenté, voisinage), sinon dans tous les milieux, au moins dans les quartiers ouvriers du centre-ville et dans les coopératives d'habitation (Fortin, 1987)[1].

Le contexte privé des dissolutions matrimoniales pendant la décennie 1970 est évoqué à travers l'analyse des récits de désunion de 23 mères sans alliance (soit des femmes divorcées et séparées d'union légale et consensuelle)[2] (Dandurand et Saint-Jean, 1988). L'étude des principaux motifs de rupture révèle aussi la fragilité du lien conjugal, autant sous l'aspect des impératifs de l'amour romantique (une autre relation amoureuse) que des antagonismes conjugaux (violence physique de l'homme); apparaît également à ce chapitre la précarité du lien paternel (venue d'un enfant mal accepté du père), qui est confirmée dans le fait que seulement le quart des pères partagent équitablement les responsabilités parentales (visites – pensions) après les ruptures.

Sur la période qui s'étend de 1960 à 1985, le fait que les dissolutions matrimoniales apparaissent d'abord latentes puis manifestes dans les maisonnées, confirme donc notre interprétation présentée en introduction. La crise actuelle du mariage est en continuité avec une caractéristique majeure des institutions familiales et matrimoniales en sociétés industrielles, soit une certaine fragilité du lien conjugal dans la vie privée due à la ségrégation des sexes imposée par le mode de production industriel, fragilité d'ailleurs endiguée par un fort système matrimonial, à multiples ramifications institutionnelles. C'est ce système qui va s'éroder de façon accélérée dans les années qui suivent 1960, à l'occasion d'événements majeurs qui accompagnent la transition de la société québécoise vers un modèle postindustriel.

LA MODIFICATION DU SYSTÈME MATRIMONIAL

Les années 60 s'ouvrent sur *un système matrimonial bien intégré*, à profil *monolithique*, et qui s'impose de façon rigide aux individus: il s'articule autour de certaines instances sociales majeures qui paraissent chacune conjuguer, à peu près dans le même sens, les contraintes qu'ils imposent aux hommes et aux femmes dans la vie matrimoniale: règne alors la conception chrétienne du mariage et de la famille conjugale, qui reconnaît à l'homme la suprématie, maintient des interdits qui exposent la femme à un risque permanent de grossesse et enfin conçoit le mariage comme indissoluble; il faut compter aussi avec un Code civil qui n'accepte pas le divorce et qui fixe les rapports matrimoniaux autour de l'autorité maritale et paternelle de l'homme ainsi qu'autour de l'infériorité de la femme mariée, mineure sur le plan juridique; ces codes de conduite s'articulent bien, dans le système matrimonial, aux instances économiques, qui maintiennent encore le modèle ménagère/pourvoyeur, n'embauchant qu'une femme mariée sur trois sur le marché du travail, où d'ailleurs elle ne reçoit qu'un maigre salaire d'appoint; et enfin à l'État qui couvre peu le «risque» de dissolution matrimoniale, n'offrant encore aucune ressource aux femmes qui rompent volontairement leur union ou qui ont un enfant hors mariage: seules les veuves et les épouses abandonnées reçoivent un certain secours. Ce système matrimonial laisse donc aux femmes peu de possibilité de subsister de façon autonome hors du mariage.

La décennie 60 apportera à la vie des couples des changements tout à fait majeurs. En particulier à la vie des femmes: révolution contraceptive, maturité juridique, accès accru au salariat et à l'éducation, mise en place d'un mouvement organisé des femmes. Pendant que l'Église perd peu à peu de son influence autant sur les événements de la vie publique que sur la conscience des fidèles, l'État implante de nouveaux appareils d'encadrement de la population ainsi que des lois qui libéralisent les moeurs (v.g. bill omnibus sur le divorce, la contraception, l'avortement et l'homosexualité). Si l'obtention du divorce présuppose une «faute conjugale» (divorce – sanction), la loi prévoit une législation protectionniste pour la mère-ménagère et ses enfants, dépourvus de ressources à la suite des ruptures. Ces changements, qui sont autant de brèches à l'enfermement domestique des femmes, présentent à celles-ci des possibilités nouvelles et ont pour effet d'alléger la contrainte matrimoniale sur elles. Sans aucun doute, on doit considérer que *le système matrimonial traditionnel est ébranlé* par ces mutations de la vie quotidienne et sociale. Mais on n'en voit pas encore les répercussions sur les rapports conjugaux: dans les maisonnées de l'époque, on l'a vu, les changements matrimoniaux sont encore *latents*.

On peut considérer les années 1970 comme celles de la *désarticulation graduelle d'un système matrimonial* qui était encore bien intégré en 1960: cette fois, l'impact sur les rapports conjugaux se laisse voir par la montée subite et constante des dissolutions matrimoniales qui deviennent tout à fait *manifestes*. Dans la sphère publique, l'Église est en perte de vitesse mais les instances juridiques, politiques et économiques favorisent ou implantent, sous la poussée des forces progressistes et notamment des groupes de femmes, des transformations qui vont avoir une forte incidence sur le paysage matrimonial: après que l'État fédéral eut formulé sa Loi sur le divorce de 1968, l'État provincial poursuit une réforme en profondeur du droit familial et matrimonial; l'appareil étatique prend une place accrue dans la vie quotidienne, consolidant son volet État-providence (assurance-santé, aide sociale et assistance aux enfants et autres personnes «improductives»); le marché du travail continue d'embaucher les femmes mariées, dont les taux d'activité montent rapidement, malgré le fait que leurs tâches domestiques, en particulier le soin des enfants, soient très lentement socialisées. On constate cependant que les législations protectionnistes (pensions alimentaires) à l'endroit des divorcées et séparées sont mal appliquées, étant peu sanctionnées.

Pendant cette période, des moralistes vont poser le diagnostic de l'«éclatement» voire d'une «crise» de la famille. C'est plutôt à une «crise» du mariage que l'on assiste. Le code rigide du mariage chrétien et de la famille conjugale ne s'impose plus comme autrefois aux individus: ainsi les audacieux qui adoptent de nouveaux modes de vie comme solutions de rechange au mariage (union libre, célibat, divorce, etc.) voient leur comportement sanctionné moins négativement qu'autrefois et les normes traditionnelles sont souvent désavouées ou bien considérées comme périmées. La contrainte matrimoniale sur les individus, en particulier sur les femmes, se trouve partiellement relâchée, ces dernières ayant dorénavant la possibilité de subsister sans mari et même de faire valoir plus directement leur point de vue dans la sphère publique, notamment grâce aux multiples groupes du Mouvement des femmes qui exercent une action variée: autoconscience auprès de leurs membres, pression auprès des pouvoirs publics, mise en place de services auprès des femmes.

Au début des années 80, le système matrimonial rigide et monolithique de 1960 apparaît plutôt désarticulé et une configuration plus complexe et plus souple est en place: il est clair qu'on est en présence d'une *diversité de profils* conjugaux et familiaux, anciens et nouveaux, ainsi que d'une plus grande *flexibilité dans les contrôles sociaux* (voir Dandurand, 1987b). Mais le climat de libéralisme et de prospérité des années 60 apparaît bien terminé: dans les pays développés, émergent le néo-conservatisme politique et une vague de renouveau religieux, alors qu'en 1982 frappe une récession économique. C'est dans ce contexte que le gouvernement québécois formule un Livre vert sur la famille et amorce sa consultation sur une politique familiale: au cours de ces débats publics, certaines catégories de la population se prononcent pour la poursuite des changements amorcés alors que d'autres vont dans le sens d'un frein aux transformations (voir Dandurand, 1987a). La conjoncture économique et politique fait maintenant craindre le statu quo et même le retour en arrière. C'est du moins ce que la mise en question de certains acquis, au Québec et au Canada, peut laisser penser: par exemple, coupures dans les politiques de l'État-providence, menaces à l'emploi féminin (avec la montée de la microtechnologie), réduction ou plafonnement des allocations familiales, fiscalité régressive pour les épouses et les familles monoparentales, reviviscence des groupes de pression contre l'avortement thérapeutique, stagnation assez nette dans le développement des garderies et des services pour les femmes, etc. Devant ces reculs, peut-on craindre que des femmes devront à nouveau se replier sur la sphère domestique et se trouver acculées à accepter l'ancien contrat social, à savoir recevoir, du mari ou de l'État, l'essentiel de leur subsistance, en échange de l'entretien des proches, enfants, grands-parents, malades ou handicapés? Faut-il appréhender que certains pouvoirs politiques, économiques ou religieux, cherchent ainsi à réta-

blir les contraintes au repli domestique pour notamment solution-
ner les problèmes de natalité et de chômage des sociétés actuelles? Faut-il craindre qu'un nouveau système matrimonial soit
en train de se redéployer? Dans ce contexte, quel est l'avenir du
mariage?

QUEL EST L'AVENIR DU MARIAGE?

La question est délicate et peu de chercheurs osent actuellement la poser. Il y a quelques années, la sociologue américaine
Jessie Bernard (1982: 295), spécialiste de la question, affirmait
que le mariage était en crise mais pas en péril. Plus récemment un
historien et une ethnologue ont exprimé des vues moins optimistes. Selon Georges Duby (1985: 7), on assiste à un «délabre-
ment» du mariage qui va jusqu'à altérer cette institution implantée
depuis un millénaire dans les sociétés occidentales de tradition
chrétienne. Paola Tabet considère pour sa part que les sociétés
postindustrielles subissent actuellement des transformations profondes de leur système matrimonial: selon elle (1985: 129) «le lien
de dépendance personnelle des femmes dans le mariage se
dissout», et on assiste à des transformations «structurelles» qu'on
pourrait comparer à la dissolution du lien de servage en Europe
ou à l'abolition de l'esclavage dans la société américaine du
XIXᵉ siècle. Donc des changements profonds des rapports entre
les sexes: ces changements sont-ils susceptibles de «mettre en
cause la domination masculine» ou assiste-t-on à un nouvel amé-
nagement de cette domination?

   La réponse de Tabet reprend l'analogie déjà énoncée: si
l'abolition de l'esclavage et du servage n'a pas fait accéder à
l'égalité les groupes dominés, mais changé les formes de leur
domination, les transformations du système matrimonial risquent
aussi d'avoir un effet analogue et de ne pas équivaloir à la fin de
l'hégémonie masculine mais à son redéploiement sous une autre
forme. En effet, rappelle Tabet, l'existence de solutions de rechange à l'état marital allège «l'appropriation privée» des femmes
mais ne lève pas pour autant leur «appropriation collective» (Guillaumin, 1978a) qui, dans les domaines de l'économie, de la politique et même de la culture, demeure tout à fait réelle si on en juge

par le pouvoir encore bien restreint que les femmes exercent dans ces domaines de la vie publique. Il est clair que les structures de domination masculine (ou patriarcat) ont subi certains revers à la suite de cette «crise» du mariage et de ces affrontements entre les sexes qui ont marqué l'accès accru des femmes à la sphère publique. Mais il serait très utopique de croire que, parce que le mariage a subi une certaine désaffection, on puisse considérer que le patriarcat est «en agonie» comme le prétendait récemment la philosophe Élisabeth Badinter (1986). Car le patriarcat, faut-il le rappeler (voir Eisenstein, 1980), ce n'est pas que la domination, sur le monde féminin, du père et mari dans la maisonnée, mais c'est aussi, dans la société, celle du politicien, du chef d'entreprise, de l'évêque ou du juge.

Si ces interprétations sont plausibles, il importe d'en tirer les conséquences pour l'avenir du mariage, de la conjugalité et plus largement des rapports entre les sexes.

Il est à prévoir que le *contrôle du groupe des hommes sur le groupe des femmes* va continuer à s'exercer par la tentative de *relégation des femmes à la sphère domestique*: le chômage qu'entraîne la transition vers la société postindustrielle de même que les tendances actuelles du néo-conservatisme à gruger l'État-providence et, ainsi, à redonner aux familles le soin des «improductifs» (enfants, malades, handicapés et vieillards), accroissent de toute évidence pour les femmes, la contrainte au repli domestique et partant à la vie conjugale. Sans compter qu'elles conservent toujours la plus large part de la responsabilité affective, culturelle et même matérielle des enfants.

En même temps, on doit constater que le contrôle du groupe des femmes et la régulation des rapports de sexe dans la société actuelle a subi *un certain déplacement: de la sphère domestique*, où ces contrôles s'exerçaient presque exclusivement autrefois par le biais du mariage et de la famille, *à la sphère publique*, où désormais les hommes et bien des femmes se retrouvent côte à côte, quoiqu'avec des chances toujours inégales, comme travailleurs, bénéficiaires de services, citoyens, étudiants, bénévoles ou consommateurs. Pour reprendre les termes de Colette

Guillaumin, l'«appropriation privée» est partiellement levée mais, sans la médiation du mariage, l'«appropriation collective» peut s'exercer encore plus directement sur les femmes.

Même si la conjugalité demeure très présente dans la société actuelle, autant dans le domaine idéologique (représentations du bonheur et de la réussite) que comme un mode de vie privilégié par diverses instances sociales, il est clair que le mariage ne joue plus, pour le contrôle social des femmes, le rôle primordial qu'il a joué dans la société industrielle. Dès lors, on peut envisager *quelques scénarios*, les uns pessimistes, les autres optimistes.

En plus de la possibilité, déjà évoquée, d'un *retrait forcé des femmes vers la sphère domestique,* faut-il craindre que leur relégation, dans la sphère publique même, s'exerce encore longtemps sous sa forme actuelle, à savoir *une scandaleuse pauvreté pour plusieurs de celles qui vivent sans conjoint*? Ou peut-on déjà penser, hypothèse optimiste, à la façon dont s'aménagera le *partage de la sphère publique entre le monde des femmes et celui des hommes*? Y aura-t-il maintien d'une spécialisation des fonctions selon le sexe, mais cette fois au sein du salariat? Au mieux, y aura-t-il travail et activités davantage partagés entre les sexes et ce autant dans la sphère publique que domestique?

La réponse à ces questions pourrait bien décider de l'avenir d'un partenariat privé entre les hommes et les femmes, qu'on le nomme mariage ou conjugalité.

NOTES DE LA CONCLUSION

1. Andrée Fortin (1987) note une bonne intégration des familles monoparentales à leur environnement dans les quartiers ouvriers de Saint-Sauveur et Saint-François-d'Assise et en banlieue dans les coopératives d'habitation. Les quartiers du centre-ville, en particulier les H.L.M., abritent par ailleurs des familles monoparentales caractérisées par la solitude, le désarroi, la misère économique et psychologique (p. 101). La parution tardive de cet ouvrage (automne 1987) a empêché d'en tenir compte dans le chapitre des années 1970-1985.

2. Signalons que ces récits couvraient l'union, la désunion et la vie en famille monoparentale; ils s'étendaient, pour les plus âgées, de 1960 à 1981-1982, dates des entrevues. Les ruptures ont toutes pris place dans la décennie 1970. Voir Dandurand et Saint-Jean, 1988.

Annexe de tableaux

TABLEAU 1
**Fréquence des divorces et indice synthétique de divortialité,
Québec, 1960 à 1985**

Année	Nombre de divorces	Indice de divortialité
1960	481	—
1963	491	—
1965	226	—
1967	727	—
1969	2 950	8,7
1970	4 872	13,9
1971	5 203	14,5
1972	6 426	17,6
1973	8 112	22,0
1974	12 272	32,3
1975	14 093	36,5
1976	15 186	38,2
1977	14 501	35,5
1978	14 865	35,5
1979	14 379	34,1
1980	13 899	31,8
1981	19 193	44,3
1982	18 579	42,0
1983	17 365	39,1
1984	16 845	38,1
1985	15 814	36,0

Sources: *La Statistique de l'état civil*, 1968, p. 242; Messier, 1984, p. 183; Lapierre-Adamcyk et Peron, 1983, p. 36; Duchesne, 1987, p. 133.

TABLEAU 2

Indice synthétique de nuptialité des célibataires et de remariage des divorcés, Québec, 1961 à 1985

Année	Indice synthétique de nuptialité[1]		Indice synthétique de remariage[2]	
	Femmes	Hommes	Divorcées	Divorcés
1961	87,1	92,7		
1962	86,5	93,8		
1963	84,5	91,5		
1964	85,6	93,0		
1965	85,9	93,5		
1966	89,7	97,6		
1967	90,0	97,1		
1968	87,1	92,9		
1969	86,7	91,5		
1970	87,8	92,0		
1971	86,3	90,6		
1972	92,3	96,5		
1973	87,1	90,7		
1974	84,0	87,3		
1975	80,7	80,7	0,521	0,603
1976	77,5	79,2	0,465	0,569
1977	71,6	72,9	0,407	0,489
1978	67,3	68,1	0,393	0,477
1979	66,8	66,8	0,370	0,451
1980	64,2	63,9	0,369	0,432
1981	57,9	57,1	0,337	0,398
1982	53,7	52,8		
1983	50,4	49,1	—	—
1984	51,4	49,3	0,31	0,36
1985	51,7	49,0	—	—

Sources:
1. Messier, 1984, p. 181 (partie du tableau 5205); Duchesne, 1987, p. 130.
2. Duchesne et Roy, 1983, p. 183 (partie du tableau 5.8); Duchesne, 1987, p. 132.

TABLEAU 3

Fréquence des mariages selon le type de célébration, Québec, 1969 à 1985

Année	Mariages religieux		Mariages civils	
	N	%	N	%
1969	47 545	98	1 026	2
1970	49 607	96	1 875	4
1971	49 675	96	2 274	4
1974	—	91,5	—	8,5
1977	40 779	84,1	7 735	15,9
1978	38 422	82,4	8 180	17,6
1979	38 079	81,6	8 578	18,4
1980	36 534	81,5	8 315	18,5
1981	32 713	79,8	8 293	20,2
1982	30 004	78,2	8 356	21,8
1985	27 605	75,4	9 006	24,6

Sources: Messier, 1984, p. 180 (partie du tableau 5203); Roy, 1977, p. 5; Gouvernement du Québec, 1973, p. 28; Baillargeon, 1987, p. 344.

TABLEAU 4

Conjointes dans les ménages privés selon l'âge et le statut de l'union, légale ou consensuelle Québec, 1981

	15-24 ans	25-34 ans	35-44 ans	45 ans et plus
Épouses légales	109 302	380 480	307 075	546 465
	69 %	90 %	95 %	98 %
Partenaires en cohabitation	48 695	42 445	15 410	12 945
	31 %	10 %	5 %	2 %
Total	**158 015**	**422 925**	**322 485**	**559 410**
	100 %	**100 %**	**100 %**	**100 %**

Source: Messier, 1984, p. 36 (partie du tableau 5205).

TABLEAU 5

**Répartition des femmes de 18-34 ans
selon le choix du type d'union et l'âge,
Québec, 1984**

Âge	Choix du type d'union			Total %	Nombre de cas
	Cohabitation seulement	Cohabitation et mariage	Mariage seulement		
18-19	15,3	54,1	30,6	100	74
20-24	13,8	49,3	36,9	100	264
25-29	9,7	43,8	46,4	100	255
30-34	10,2	30,2	59,6	100	252
Total	**11,6**	**42,4**	**46,0**	**100**	**846**

Source: Lapierre-Adamcyk et al., 1987, p. 32. Données inédites tirées de l'enquête sur la fécondité au Canada, 1984.

TABLEAU 6

**Pourcentage des naissances de parents mariés et hors mariage,
Québec, 1950 à 1985**

Année	Naissances de parents %	Naissances hors mariage %
1950	96,8	3,2
1955	96,7	3,3
1960	96,4	3,6
1965	94,8	5,2
1970	92,0	8,0
1972	92,3	7,7
1974	92,3	7,7
1975	91,2	8,8
1976a	90,2	9,8
1977	89,5	10,5
1978	88,8	11,2
1979	87,4	12,6
1980	86,2	13,8
1981	84,4	15,6
1982	81,8	18,2
1985	75	25

a) Les naissances de parents mariés sont issues de parents mariés l'un à l'autre jusqu'en 1975. À partir de 1976, il s'agit de l'état matrimonial de la mère seulement.

Sources: Messier, 1984, p. 174 (partie du tableau 5005); Duchesne, 1987, p. 137.

TABLEAU 7

Proportion des familles monoparentales sur l'ensemble des familles: taux officiels[a] et taux réels[b] de monoparentalité, Canada et Québec, 1961-1986

	Canada				Québec			
	1961	1971	1981	1986	1961	1971	1981	1986
Taux (%) officiel	8,4	9,5	11,3	14,5	8,7	10,2	12,5	14,4
Taux (%) réel	11,4	13,2	16,6	18,8	11,3	13,4	17,6	20,8
Nombre de familles monoparentales	(347 418)	(477 525)	(713 815)	(853 815)	(95 818)	(135 370)	(208 400)	(252 805)

a) Les taux officiels sont ceux calculés par Statistique Canada sur l'ensemble des «familles de recensement», qu'il y ait ou pas d'enfants dans ces familles.

b) Les taux réels que nous proposons excluent au dénominateur les familles sans enfant. Le calcul est donc fait avec, au numérateur, le nombre de familles monoparentales, au dénominateur, le nombre total de familles parentales. Pour des taux qui ne prennent en considération que les enfants de moins de 18 ans, voir Leaune, 1985.

Sources: Pour 1961, Canada et Québec: *Recensement du Canada de 1961*, cat. 93-516, vol. II (1), bul. 2, 1-7, tab. 73-1 et 73-11.

Pour 1971, Canada: *Recensement du Canada de 1971*, cat. 93-718, (Volume II-partie 2) bul. 2.2-6, tab. 51-1 et 51-2 et *Recensement du Canada de 1976*, cat. 93-822 bul. 93-822 bul. 4-3, tab. 51-1 et 51-2.

Pour 1971, Québec: *Recensement du Canada de 1976*, cat. 93-822 bul. 4.3, tab. 6-1.

Pour 1981, Canada et Québec: *Recensement du Canada de 1981*, cat. 93-917, tab. 35-1 et 38-1; cat. 93-941, tab. 45-1 et 45-2.

Pour 1986, Canada et Québec: *Recensement du Canada de 1986*, cat. 93-106, tab. 2 et 3.

TABLEAU 8

**Évolution du statut matrimonial
des responsables de famille monoparentale,
Québec, 1961-1986**

Statut matrimonial	1961	1971	1981	1986
Veuf(ve)	70,6	53,4	38,6	30,4
Conjoint(e) absent(e) ou séparé(e)	27,7 ⎡ 26,2	37,7 ⎡ 32,0	50,0 ⎡ 23,4	53,7 ⎡ 21,6
Divorcé(e)	⎣ 1,5	⎣ 5,7	26,6	32,1
Célibataire	1,7	9,0	11,4	15,9
Total	**(95 818)** **100 %**	**(135 205)** **100 %**	**(208 300)** **100 %**	**(252 805)** **100 %**

Sources: *Recensement du Canada*:

    1961, cat. 93-516 (vol. II-partie I) série 2.1 (bul. 2.1-7), tab. 73-1 et 73-11

    1971, cat. 983-718, vol. II-partie 2 (bul. 2.2-6), tab. 53-1 et 53-2

    1981, vol. II, part. 2, cat. 92-905, tab. 5-8

    1986, cat. 93-106, tab. 2

Bibliographie

ALLARD, Jean
1967   *Boisvert: famille et parenté*, thèse M.A. (anthropologie), Université de Montréal.

ARENDELL, Terry
1987   *Mothers and Divorce*. Legal, Economic and Social Dilemmas, Berkeley, University of California Press.

BADGLEY (rapport)
1984   *Infractions d'ordre sexuel contre des enfants au Canada*. Rapport du comité sur les infractions à l'égard des enfants et des jeunes, Ottawa, Approvisionnements et Service Canada.

BADINTER, E.
1986   *L'un est l'autre. Des relations entre hommes et femmes*, Paris, Odile Jacob.

BAILLARGEON, J.P.
1987   «Les mariages religieux, 1976-1985», *Recherches sociographiques*, vol. XXVIII, nᵒˢ 2-3, p. 341-348.

BAKER, M.
1985   *«Quand je pense à demain...» Une étude sur les aspirations des adolescentes*, Ottawa, Conseil consultatif canadien du statut de la femme.

BARRÈRE-MAURISSON, M.-A. *et al.*
1984   *Le sexe du travail, Structures familiales et système productif*, Grenoble, Presses universitaires de Grenoble.

me.

BARRY, F.
1977 *Le travail de la femme au Québec: l'évolution de 1940 à 1970*, Montréal, Les Presses de l'Université du Québec.

BEAUDOIN, C., P.J. HAMEL, C. LE BOURDAIS
1987 «Les femmes et la pauvreté: Histoires de familles, histoires d'emploi?», *Revue internationale d'action communautaire*, n° 18, p. 161-171.

BELLWARE, J. ET D. CHAREST
1986 *Monoparentalité féminine et aide sociale*, Québec, Service des politiques et de la recherche en sécurité du revenu.

BERNARD, Jessie
1982 *The Future of Marriage*, New Haven and London, Yale University Press.

BESSETTE, Gérard
1968 *Le libraire*, Ottawa, Le Cercle du livre de France ltée.

BIRD (rapport)
1970 *La situation de la femme au Canada*, Rapport de la Commission royale d'enquête sur la situation de la femme au Canada, Ottawa, Information Canada.

BOUCHARD, G.
1986 «La dynamique communautaire et l'évolution des sociétés rurales québécoises aux 19e et 20e siècles, construction d'un modèle», *Revue d'histoire de l'Amérique française*, vol. XL, n° 1, p. 51-71.

BOULET, J. ET L. LAVALLÉE
1984 *L'évolution de la situation économique des femmes*, Ottawa, Conseil économique du Canada.

BRADBURY, B.
1983 «L'économie familiale et le travail dans une ville en voie d'industrialisation: Montréal dans les années 1870» dans M. DUMONT et N. FAHMY-EID (éds), *op. cit.*, p. 287-318.

BRAUDEL, Fernand
1958 «La longue durée», *Annales*, Paris, p. 725-753.

BRAUN, Françoise
1987 «Malgré et avec l'amour: une entente de parentage» dans R. B. DANDURAND (éd.), 1987b, *op. cit.*, p. 81-92.

BRODEUR, V. *et al.*
1982 *Le mouvement des femmes au Québec*, Montréal, Centre de formation populaire.

BROUILLET, C., C. MERCIER et R. TESSIER
1982 Des garderies malgré tout. Situation des garderies au Québec en 1981. Collection «Études et recherches», vol. I, Québec, Gouvernement du Québec, Office des services de garde à l'enfance.

BULLETIN NATIONAL DE LITURGIE
1969 Juin, vol. 4, n° 23.

1970 Mars, vol. 4, n° 27.

BURCH, Thomas
1985 Enquête sur la famille. Conclusions préliminaires, Ottawa, ministère des Approvisionnements et Services Canada.

CALDWELL, G. et B.D. CZARNOCKI
1977 «Un rattrapage raté. Le changement social dans le Québec d'après-guerre, 1950-1974: une comparaison Québec-Ontario», Recherches sociographiques, vol. XVIII, n° 1, p. 9-58.

CARISSE, C.
1964 Planification des naissances en milieu canadien-français, Montréal, Presses de l'Université de Montréal.

1974 La famille: mythe et réalité québécoise, Rapport présenté au Conseil des Affaires sociales et de la famille, Québec.

CARISSE, C. et J. DUMAZEDIER
1975 Les femmes innovatrices, Paris, Seuil.

CARON, A. et M. GAUMONT
1985 «La problématique mariage-famille au Québec» dans CARON et al., op. cit., p. 17-23.

CARON A. et al. en collaboration
1985 La famille québécoise: institution en mutation? Analyse de discours et de pratiques de groupes intervenant auprès des couples, Montréal, Fides.

CHERLIN, Andrew W.
1981 Marriage, Divorce, Remarriage, Cambridge (Mass.) et London, Harvard University Press.

CLIO (collectif)
1982 L'Histoire des femmes au Québec depuis quatre siècles. Montréal, Éd. Quinze.

CLOUTIER-COURNOYER, Renée et Jules-A. GOURGUES
1977 "Sexuality, marital interaction and family planning in the low income areas of urban Quebec" dans B. SCHLESINGER, Sexual Behaviour in Canada. Patterns and Problems, Toronto, University of Toronto Press, p. 45-58.

CODE CIVIL DU BAS-CANADA (C.C.B.C.)

CODE CIVIL DU QUÉBEC (C.C.Q.)

COMITÉ DE CONSULTATION SUR LA POLITIQUE FAMILIALE (C.C.P.F.)
1985   *Le soutien collectif réclamé pour les familles québécoises*. Rapport de la consultation sur la politique familiale, Première partie, Québec, Gouvernement du Québec.

1986   *Le soutien collectif recommandé pour les parents québécois*. Rapport de la consultation sur la politique familiale, Deuxième partie, Québec, Gouvernement du Québec.

COMMAILLE, Jacques
1978   *Le divorce en France. De la réforme de 1975 à la sociologie du divorce*, Paris, La Documentation française.

CONFÉDÉRATION DES SYNDICATS NATIONAUX (C.S.N.)
1987   *Une réforme du régime fiscal et des programmes de soutien du revenu: pour les femmes... et pour les hommes*, document de travail présenté au Conseil confédéral de la C.S.N. les 5 et 6 juin 1987.

CONFÉRENCE DES ÉVÊQUES CATHOLIQUES DU CANADA (C.E.C.C.)
1980   *Le mariage et la famille*, Document de travail (juin).

CONSEIL DES AFFAIRES SOCIALES ET DE LA FAMILLE (C.A.S.F.)
1981   *Concilier maternité et participation au monde du travail*, Études et avis, Québec, Gouvernement du Québec.

CONSEIL NATIONAL DU BIEN-ÊTRE SOCIAL (C.N.B.E.S.)
1979   *La femme et la pauvreté*, Ottawa, C.N.B.E.S.

CONSEIL DU STATUT DE LA FEMME (C.S.F.)
1978   *Pour les Québécoises, égalité et indépendance*, Québec, Éditeur officiel du Québec.

1985   *La condition des femmes au regard de la famille*, Québec, C.S.F.

COOKE (rapport)
1986   *Rapport du groupe d'étude sur la garde des enfants*, Ottawa, ministère des Approvisionnements et Services Canada.

CÔTÉ, Andrée
1981- «Chère madame... prendriez-vous une petite tranche d'éga-
1982   lité?... Les conséquences de la loi 89 pour les femmes», *La vie en rose* (déc.-janv.-fév.), p. 21-24.

DANDURAND, Renée B.
1981   «Famille du capitalisme et production des êtres humains», *Sociologie et sociétés*, vol. XIII, n° 2, p. 95-111.

1982 *Famille, monoparentalité et responsabilité maternelle, Contribution à l'étude des rapports sociaux de sexe*, thèse (Ph.D) anthropologie, Université de Montréal.

1985 «Les dissolutions matrimoniales: un phénomène latent dans le Québec des années 60», dans *Anthropologie et sociétés*, vol. 9, n° 3, p. 87-114.

1986 «Identité sociale et maternité sans alliance» dans Denise Lemieux (éd.), *Identités féminines: mémoire et création*, Québec, Institut québécois de recherche sur la culture, p. 85-103 (Collection «Questions de culture», n° 9).

1987a «Une politique familiale: enjeux et débats», *Recherches sociographiques*, vol. XXVIII, n° 2, p. 349-369.

1987b *Couples et parents des années quatre-vingt.* Un aperçu des nouvelles tendances familiales, Québec, Institut québécois de recherche sur la culture (Collection «Questions de culture», n° 13).

1987c «La monoparentalité au Québec. Aspects socio-historiques», *Revue internationale d'action communautaire*, n° 18, p. 79-85.

1987d «La famille québécoise: un brusque virage dans la modernité», *Les Cahiers de la femme/Canadian Women's Studies*, vol. 7, n° 2, p. 64-67.

DANDURAND, Renée B. et Lise SAINT-JEAN
1986 «La nouvelle monoparentalité comme révélateur des contradictions familiales» dans S. LANGLOIS et F. TRUDEL (éds), *La morphologie sociale en mutation au Québec*, Montréal, Acfas, p. 125-140.

1988 *Des mères sans alliance. Monoparentalité et désunions conjugales*, Québec, Institut québécois de recherche sur la culture.

DANDURAND, Renée B. et Évelyne TARDY
1981 «Le phénomène des Yvette à travers quelques quotidiens», *Femmes et politique*, Montréal, Éditions du Jour, p. 21-54.

DAVID, Hélène
1986 *Femmes et emploi. Le défi de l'égalité*, Québec, P.U.Q. et Montréal, I.R.A.T.

DAVID-McNEIL, Jeannine
1985 «L'évolution de la condition économique de la main-d'oeuvre féminine canadienne», *Pour un partage équitable*, compte-rendu du colloque sur la situation économique des femmes sur le marché du travail (novembre 1984), Ottawa, Conseil économique du Canada, p. 1-9.

DAYAN-HERZBRUN, S.
1982 «Production du sentiment amoureux et travail des femmes», *Cahiers internationaux de sociologie*, vol. LXII, p. 113-130.

DEGLER, Carl N.
1981 *At Odds.Women and the Family in America from the Revolution to the Present*, Oxford, Oxford University Press.

DESCARRIES-BÉLANGER, F.
1980 *L'école rose... et les cols roses*, Montréal, Éditions Coopératives Albert Saint-Martin.

DESJARDINS, Ghislaine
1984 *Faire garder ses enfants au Québec: toute une histoire...*, Québec, ministère des Communications.

DEVOST, R.
1979 *Les ordonnances en pension alimentaire et les jugements en séparation ou en divorce.* Rapport préliminaire, Direction des politiques de sécurité de revenu.

DEVREUX, Anne-Marie
1984 «La parentalité dans le travail. Rôles de sexe et rapports sociaux», *Le sexe du travail*, Grenoble, Presses de l'Université de Grenoble, p. 113-126.

DROLET, P. et P. LANCTÔT
1984 *Les mouvements de clientèle à l'aide sociale*, Québec, ministère de la Main-d'oeuvre et de la Sécurité du revenu.

DUBY, G.
1985 Préface à Jack GOODY, *L'évolution de la famille et du mariage en Europe*, Paris, Armand Colin, p. 5-8.

DUCHESNE, Louis
1987 *Les ménages et les familles au Québec*, Québec, les Publications du Québec.

DUCHESNE, L. et L. ROY
1983 «Les changements dans les modes de vie conjugale et leur incidence sur la fécondité», *Démographie québécoise: passé, présent, perspectives*, Québec, Bureau de la statistique du Québec, p. 165-220.

DUGUAY, L.
1985 «La femme et ses droits», *Madame au foyer* (mai), p. 84-88.

DULUDE, Louise
1984   *Pour le meilleur et pour le pire. Une étude des rapports financiers entre les époux*, Ottawa, Conseil consultatif canadien sur la situation de la femme.

DUMAIS, France
1986   *À propos des garderies. Situation des garderies au Québec en 1985*, Gouvernement du Québec.

DUMONT, Micheline
1986   «L'instruction des filles avant 1960», *Interface* (mai-juin), p. 22-29.

DUMONT, Micheline et Nadia FAHMY-EID (éds)
1983   *Maîtresses de maison, maîtresses d'école*, Montréal, Boréal Express.

1986   *Les couventines. L'éducation des filles au Québec dans les congrégations religieuses enseignantes*, Montréal, Boréal.

DUPRAS, André, Joseph J. LÉVY et Réjean TREMBLAY
1979   «Sexualité, contraception et avortement au Québec. Résultats généraux d'un sondage d'opinion», *Revue québécoise de sexologie*, vol. I, n° 2, p. 80-87.

EICHLER, M.
1983   *Families in Canada Today*, Toronto, Gage Educational Publishing Company.

EISENSTEIN, Zillah R.
1980   "The State, the patriarchal family and working mothers", *Kapitalistate*, n° 8, p. 43-66.

ELKIN, F.
1964   *La famille au Canada*, Ottawa, Congrès canadien de la famille.

FAHMY-EID, Nadia
1986   «Un univers articulé à l'ensemble du système scolaire québécois» dans M. DUMONT et N. FAHMY-EID, *Les Couventines*, Montréal, Boréal.

FAHMY-EID, N. et N. LAURIN-FRENETTE
1983   «Théories de la famille et rapports famille/pouvoirs dans le secteur éducatif au Québec et en France, 1850-1960» dans N. FAHMY-EID et M. DUMONT (eds.), *Maîtresses de maison, maîtresses d'école*, Montréal, Boréal Express, p. 339-362.

FAHMY-EID, Nadia et Lucie PICHÉ
1987   *Si le travail m'était conté... autrement. Les travailleuses de la C.T.C.C.-C.S.N.: quelques fragments d'histoire 1921-1976*, Montréal, C.S.N.

168   LE MARIAGE EN QUESTION

FESTY, P.

1986 «Conjoncture démographique et rythmes familiaux: quelques illustrations québécoises», *Population*, vol. 41, n° 1, p. 37-57.

FILION, Lorraine

1987 «La notion du meilleur intérêt de l'enfant. Applications judiciaires et psychosociales» dans R.B.-DANDURAND (éd.), 1987b, *op. cit.*, p. 173-192.

FORTIN, A.

1987 *Histoires de familles, histoires de réseaux*, Montréal, Saint-Martin.

FORTIN, Gérald

1967 «Aspects sociologiques du travail féminin», *Le travail féminin*, Québec, Presses de l'Université Laval.

1971 «Les changements socio-culturels dans une paroisse agricole», *La fin d'un règne*, Montréal, H.M.H., p. 123-145.

FRIEDAN, B.

1965 *La femme mystifiée*, Paris, Gonthier.

GAGNON, M.J.

1974 *Les femmes vues par le Québec des hommes*, Montréal, Éditions du Jour.

GAGNON, N.

1964 *La famille ouvrière urbaine*, thèse de maîtrise (département de sociologie), Université Laval, Québec.

1968 «Un nouveau type de relations familiales» dans M.-A. LESSARD et J.P. MONTMINY (éds), *L'urbanisation de la société canadienne-française, Recherches sociographiques*, vol. IX, n°s 1-2 (numéro double), p. 59-66.

GARIGUE, Philippe

1962 *La vie familiale des Canadiens-Français*, Montréal, Presses de l'Université de Montréal.

GAUDEMET, J.

1987 *Le mariage en Occident*, Paris, Éditions du Cerf.

GAUTHIER, Anne

1983 *Les politiques sociales et le travail domestique ou une liaison entre les femmes et l'État*, Québec, Conseil du statut de la femme (septembre), texte miméographié.

1985 «État-mari, État-papa: les politiques sociales et le travail domestique» dans L. VANDELAC *et al.*, *Du travail et de l'amour*, Montréal, Éditions Saint-Martin.

GAUTHIER, Pierre
1986 *Les nouvelles familles*, Montréal, Les éditions coopératives Saint-Martin.

1987 «Les nouveaux pères», dans Renée B.-DANDURAND (éd.),1987b, *op. cit.*, p. 69-80.

GAUTHIER, Pierre, Diane BOYER-CAOUETTE, Louise DUMAIS-CHARRON, Carole FORTIN, Lise GOSSELIN et Jean-Pierre HOTTE
1982 *Mères et enfants de famille monoparentale*, Montréal, Université de Montréal, École de psycho-éducation.

GLICK, Paul
1984 "Marriage, divorce and living arrangements. Prospective changes", *Journal of Family Issues*, vol. 5, n° 1 (mars), p. 7-26.

GOODE, W.J.
1963 *World Revolution and Family Patterns*, New York, Free Press of Glencoe.

1982 *The Family*, Englewood Cliffs, Prentice-Hall.

GOUVERNEMENT DU QUÉBEC
1963 *Rapport du comité d'étude sur l'assistance publique*, Québec, juin.

1973 *Statistiques des affaires sociales*, Démographie, vol. 1, n° 3 (août).

1985 *Une politique d'aide aux femmes violentées*, ministère des Affaires sociales.

1987 *Guide descriptif des programmes de sécurité du revenu*, Les Publications du Québec.

GUBERMAN, N.
1987 «Discours de responsabilisation de la famille et retrait de l'État-providence» dans R. B.-DANDURAND (éd.), 1987b, *op. cit.*, p. 193-208.

GUILLAUMIN, Colette
1978a «Pratiques du pouvoir et idée de nature: l'appropriation des femmes», *Questions féministes* (février), p. 5-29.

1978b «Pratiques du pouvoir et idée de nature: le discours de la nature», *Questions féministes* (mai), p. 5-28.

GUINDON, H.
1971 «Réexamen de l'évolution sociale du Québec», dans M. RIOUX et Y. MARTIN (éds), *La société canadienne-française*, Montréal, Hurtubise HMH, p. 149-171.

GUY, M.
1970 «De l'accession de la femme au gouvernement de la famille», dans J. BOUCHER et A. MOREL, *Le droit dans la vie familiale* (I), Montréal, Presses de l'Université de Montréal, p. 199-214.

GUYON, L., R. SIMARD et L. NADEAU
1981 *Va te faire soigner t'es malade*, Montréal, Stanké.

HAMILTON, R.
1978 *The Liberation of Women — A Study of Patriarchy and Capitalism*, London, George Allen and Unwin.

HARTMANN, H.I.
1981 "The family as the locus of gender, class and political sruggle: the example of housework", *Signs*, vol. 6, n° 3 (printemps), p. 366-394.

HENRIPIN, J. et LAPIERRE-ADAMCYK, E.
1974 *La fin de la revanche des berceaux: qu'en pensent les Québécoises?*, Montréal, Presses de l'Université de Montréal.

HENRIPIN, J. et al.
1981 *Les enfants qu'on n'a plus au Québec*, Montréal, Presses de l'Université de Montréal.

HÉRITIER, Françoise
1975 «Les dogmes ne meurent pas», *Autrement*, n° 3 (automne), numéro spécial: «Finie, la famille?», p. 150-162.

HOULE, Gilles
1983 «Famille et politique», *Conjoncture*, n° 3 (printemps), p. 51-61.

HUGHES, E.C.
1945 *Rencontre de deux mondes*, Montréal, Parizeau.

JOYAL-POUPART, Renée
1985 «La garde partagée» dans E. SLOSS (éd.), *Le droit de la famille au Canada: nouvelles orientations*, Ottawa, C.C.C.S.F., p. 115-134.

JOYAL, Renée
1987 «La famille entre l'éclatement et le renouveau. La réponse du législateur» dans R. B.-DANDURAND (éd.), 1987b, *op. cit.*, p. 147-162.

KELLERHALS, J. et L. ROUSSEL
1987 «Les sociologues face aux mutations de la famille: quelques tendances des recherches, 1965-1985», *L'Année sociologique*, 3ᵉ série, vol. XXXVII, p. 93-118.

KEMPENEERS, Marianne
1987 «Questions sur les femmes et le travail: une lecture de la crise», *Sociologie et sociétés*, vol. XIX, nᵒ 1 (avril), p. 57-72.

KNIBIEHLER, Y. et C. FOUQUET
1980 *L'histoire des mères*, Paris, Éditions Montalba.

LAMARCHE, Y., M. RIOUX et R. SÉVIGNY
1973 *Aliénation et idéologie dans la vie quotidienne des Montréalais francophones*, Montréal, Les Presses de l'Université de Montréal.

LAMONT, S., J. LAMOUREUX et N. GUBERMAN
1980 *Pour des conditions de vie décentes: action collective*, Montréal, C.A.F.M.Q.

LAPIERRE-ADAMCYK, E. et Y. PERON
1983 «Familles et enfants au Québec: la toile de fond démographique», *Santé mentale au Québec*, vol. VIII, nᵒ 2 (novembre), p. 27-42.

LAPIERRE-ADAMCYK, E. et N. MARCIL-GRATTON
1987 «Les vrais problèmes de la décroissance de notre population» et «Laissons-nous le temps de voir venir les vents», *La Presse* (juillet).

LAPIERRE-ADAMCYK, E., T.R. BALAKRISHNAN et K.J. KROTKI
1987 «La cohabitation au Québec, prélude ou substitut au mariage? Les attitudes des jeunes Québécoises» dans R. B.-DANDURAND (éd.), 1987b, *op. cit.*, p. 27-48.

LAURIN-FRENETTE, Nicole
1978 *Production de l'État et formes de la nation*, Montréal, Nouvelle Optique.

1981 «Féminisme et anarchisme: quelques éléments théoriques et historiques pour une analyse de la relation entre le mouvement des femmes et l'État», *Femmes et politique*, Montréal, Les éditions du Jour, p. 147-191.

1986 «Transformation des rôles sociaux: enjeux actuels», *Actes du colloque international sur la situation de la femme*, Cahiers de l'Acfas, nᵒ 44, p. 83-95.

LAVIGNE, Marie
1983   «Réflexions autour de la fertilité des Québécoises» dans M. DU-
        MONT et N. FAHMY-EID (éds), *Maîtresses de maison, maîtresses
        d'école*, Montréal, Boréal Express, p. 319-338.

LAVIGNE, M. et Y. PINARD (éds)
1983   *Travailleuses et féministes*, Montréal, Boréal Express.

LAZURE, Jacques
1975   *Le jeune couple non marié*, Montréal, Presses de l'Université du
        Québec.

LE BOURDAIS, C. avec la collaboration de D. ROSE
1985   «Vers une caractérisation des familles monoparentales québé-
        coises à chef féminin» dans S. LANGLOIS et F. TRUDEL (éds), *La
        morphologie sociale en mutation au Québec*, Montréal, Acfas,
        p. 141-158.

LE BOURDAIS, C. et D. ROSE
1986   «Les familles monoparentales et la pauvreté», *Revue internatio-
        nale d'action communautaire*, 16/56, p. 181-188.

LE BOURDAIS, C., P. HAMEL et P. BERNARD
1987   «Le travail et l'ouvrage. Charge et partage des tâches domesti-
        ques chez les couples québécois», *Sociologie et sociétés*,
        vol. XIX, n° 1 (avril), p. 37-55.

LE BRAS, Hervé
1983   «L'interminable adolescence ou les ruses de la famille», *Le Dé-
        bat*, Paris, Gallimard, n° 25 (mai), p. 116-125.

LEFEBVRE, P.
1980   *La révolution tranquille des modes de vie familiaux. Une analyse
        des implications socio-économiques et de l'adéquation des politi-
        ques sociales*, Montréal, UQAM.

LÉGER, Marie
1986   *Les garderies. Le fragile équilibre du pouvoir*, Montréal, RGMM /
        Les Éditions de l'Arche.

LEMIEUX, Denise
1979   *L'enfance dans la société et le roman*, thèse de doctorat (Départe-
        ment de sociologie), Université Laval, Québec.

1984   *Une culture de la nostalgie*, Montréal, Boréal Express.

LEMIEUX, D. et LUCIE MERCIER
1982   *La recherche sur les femmes au Québec: bilan et bibliographie*,
        Québec, Institut québécois de recherche sur la culture.

1987   «Familles et destins féminins: le prisme de la mémoire, 1880-1940», *Recherches sociographiques*, vol. XXVIII, nᵒˢ 2-3, p. 255-271.

LETELLIER, Marie
1971   *On n'est pas des trous-de-cul*, Montréal, Parti-Pris.

L'HEUREUX-DUBÉ, Claire
1983   "Family Law in Transition: An Overview" dans R.S. ABELLA et C. L'HEUREUX-DUBÉ (éds), *Family Law: Dimensions of Justice*, Toronto, Butterworths, p. 301-318.

LYND, R.S. et H.M. LYND
1929   *Middletown: A Study in American Culture*, New York, Harcourt and Brace.

MCKIE, D.C., B. PRENTICE et P. REED
1983   *Divorce: la loi et la famille au Canada*, Ottawa, ministère des Approvisionnements et Services Canada.

MASSÉ, J., M. SAINT-ARNAUD et M.-M. BRAULT
1981   *Les jeunes mères célibataires*, Montréal, Presses de l'Université de Montréal.

MATTHEWS, G.
1984   *Le choc démographique*, Montréal, Boréal Express.

MESSIER, Suzanne
1984   *Les femmes, ça compte!*, Québec, Gouvernement du Québec et Conseil du statut de la femme.

MICHEL, Andrée
1967   *Activité professionnelle de la femme et vie conjugale*, Paris, C.N.R.S.

1978   *Sociologie de la famille et du mariage*, Paris, Presses universitaires de France.

MILLETT, K.
1971   *La politique du mâle*, Paris, Stock.

MOREUX, Colette
1969   *Fin d'une religion?*, Montréal, Presses de l'Université de Montréal.

1982   *Douceville en Québec*, Montréal, Presses de l'Université de Montréal.

OUELLETTE, F.-R.
1986   *Rapport de recherche auprès des groupes de femmes au Québec*, Résumé (F. AUDIFFREN) de *Les groupes de femmes au Qué-*

bec en 1985, Champs d'intervention, structures et moyens d'action, Rapport déposé en novembre 1985, Québec, Conseil du statut de la femme.

PELLETIER, M. et Y. VAILLANCOURT
1978   Les politiques sociales et les travailleurs, Montréal, texte miméographié.

PELLETIER, Sylvie
1987   Pensions alimentaires 1981 à 1986. Attribution et perception, Enquête réalisée pour la Direction des communications, ministère de la Justice, Montréal, février.

PINEAU, J.
1978   Mariage, divorce et séparation, Montréal, Presses de l'Université de Montréal.

PITROU, Agnès
1978   Vivre sans famille? Les solidarités familiales dans le monde d'aujourd'hui, Toulouse, Privat.

RAPOPORT, Robert et Rhona
1973   Une famille, deux carrières, Paris, Denoël Gonthier.

RAPP-REITER, Rayna
1975   "Men and women in the south of France: public and private domains", Toward an Anthropology of Women, New York and London, Monthly Review Press, p. 252-282.

RENAUD, Marc
1978   "Quebec New Middle Class in Search of Social Hegemony: Causes and Political Consequences", International Review of Community Development, nᵒˢ 39-40 (été), p. 1-36.

RENAUD, M., S. JUTRAS et P. BOUCHARD
(avec la collaboration de Louise GUYON et Renée B.-DANDURAND)
1987   Les solutions qu'apportent les Québécois à leurs problèmes sociaux et sanitaires. Trois types: s'occuper d'un parent âgé, soulager son mal de dos, être chef de famille monoparentale. Rapport présenté à la Commission d'enquête sur les services de santé et les services sociaux.

RIVIÈRE, P.G.
1977   «Nouvelles considérations sur le mariage» dans Rodney NEEDHAM (éd.), La parenté en question, Paris, Seuil, p. 152-167.

ROCHER, Guy
1964   «Les modèles et le statut de la femme canadienne-française», Images de la femme dans la société, Paris, Éditions ouvrières.

ROMANIUC, A.
1984 *La conjoncture démographique. La fécondité au Canada: croissance et déclin*, Ottawa, Approvisionnements et services Canada.

ROSE, Ruth
1987 «La nouvelle politique fiscale québécoise. Retour à la famille nucléaire?», *Revue internationale d'action communautaire*, n° 18, p. 35-43.

ROSS, H.L., et I.V. SAWHILL
1975 *Time of Transition. The Growth of Families Headed by Women*, Washington, The Urban Institute.

ROSS, L. et H. TARDIF
1975 *Le téléroman québécois 1960-1971*. Laboratoire de recherches sociologiques, Cahier n° 12, Université Laval.

ROUSSEL, Louis
1975 *Le mariage dans la société française*, Presses universitaires de France et INED, Paris (collection travaux et documents, cahier n° 73).

1987 «Deux décennies de mutations démographiques (1965-1985) dans les pays industrialisés», *Population*, vol. 42, n° 3, p. 429-448.

ROUSSEL, L. et O. BOURGUIGNON
1978 *Générations nouvelles et mariage traditionnel*, enquête auprès des jeunes de 18-30 ans, Paris, Presses universitaires de France.

ROY, Laurent
1977 «Le mariage civil au Québec: étude socio-démographique de ses principales caractéristiques (1969-1974), *Cahiers québécois de démographie*, vol. 6, n° 1 (avril), p. 3-24.

1980 *Les divorces et les séparations au Québec*, Québec, ministère des Affaires sociales.

ROY, M.-A.
1985 «Renouement conjugal: un discours et des pratiques axés sur les techniques du dialogue» dans CARON *et al.*, *op. cit.*, p. 153-158.

RUBIN, L.B.
1976 *Worlds of Pain. Life in the Working-Class Family*, New York, Basic Books Inc.

RUDEL-TESSIER, D.
1986 «Divorcer et rester père», *Châtelaine* (novembre), p. 159-162.

Saint-Jean, Armande
1983 *Pour en finir avec le patriarcat*, Montréal, Presses de la Cité.

Saint-Jean, Lise
1987 «La pauvreté des femmes: la monoparentalité féminine» dans M. Gauthier (éd.), *Les nouveaux visages de la pauvreté*, Québec, Institut québécois de recherche sur la culture, p. 19-44 (Collection «Questions de culture, n° 12).

Saint-Pierre, Céline
1984 «Les robots ne sont pas tous d'acier: l'impact de la micro-électronique sur l'organisation du travail dans le secteur tertiaire», *Sociologie et sociétés*, vol. XVI, n° 1, p. 71-80.

Secrétariat au développement social du Québec
1984 *L'évolution de la population du Québec et ses conséquences*, Québec, ministère du Conseil exécutif.

Segalen, Martine
1981 *Sociologie de la famille*, Paris, Armand Colin.

Sévigny, Robert
1979 *Le Québec en héritage*, Montréal, Éditions coopératives Albert Saint-Martin.

Sloss, Elisabeth (éd.)
1985 *Le droit de la famille au Canada: Nouvelles orientations*, Ottawa, C.C.C.S.F.

Smith, D.
1981 «Le parti pris des femmes», *Femmes et politique*, Montréal, les Éditions du Jour, p. 139-144.

Tabet, Paola
1985 «Fertilité naturelle, reproduction forcée» dans N.-C. Mathieu (éd.), *L'arraisonnement des femmes. Essais en anthropologie des sexes*, Paris, Éditions de l'École des Hautes Études en Sciences sociales.

Tardy, Évelyne (avec la collaboration de Ginette Legault)
1986 «Les programmes d'accès à l'égalité au Québec, une condition nécessaire mais non suffisante pour assurer l'égalité des femmes», *Revue de droit — Université de Sherbrooke*, vol. 7, n° 1, p. 149-189.

Tassé, L.
1983 «Quand le pouvoir des femmes se fait illusion/allusion», *Culture*, vol. III, n° 1, p. 91-101.

TCHENG-LAROCHE, Françoise C.
1977   *Hier épouse et mère, aujourd'hui mère chef de famille. Étude descriptive du nouveau style de vie adopté*, Montréal, Mental Hygiene Institute (avril).

THERRIEN, R. et L. COULOMBE-JOLY
1984   *Rapport de l'AFEAS sur la situation des femmes au foyer*, Montréal, Boréal Express.

THORNE, Barrie et Marilyn YALOM
1982   *Rethinking the Family: Some Feminist Questions*, New York et London, Longman.

TREMBLAY, Monique
1966   *Les facteurs socio-culturels de la maternité hors mariage dans le milieu québécois*, thèse de maîtrise (École de service social), Université Laval, Québec.

TREMBLAY, M.-A.
1966   «Modèles d'autorité dans la famille» dans Fernand DUMONT et Jean-Paul MONTMINY, *Le pouvoir dans la société canadienne-française*, Québec, Presses de l'Université Laval.

1970   «Journées du Centenaire du Code civil 1966» dans J. BOUCHER et A. MOREL, *Le droit dans la vie familiale. Le Livre du centenaire du code civil*, Montréal, Presses de l'Université de Montréal.

TREMBLAY, M.-A. et G. FORTIN
1964   *Les comportements économiques de la famille salariée au Québec*, Québec, Presses de l'Université Laval.

TREMBLAY, M.-A., P. CHAREST et Y. BRETON
1969   *Les changements socio-culturels à Saint-Augustin*, Québec, Presses de l'Université Laval.

VALOIS, Jocelyne
s.d.   *Communication et relations inter-personnelles dans les familles d'un quartier ouvrier*, Québec, Département de sociologie et d'anthropologie, Université Laval, texte miméographié. (circa 1968)

VANDELAC, L. avec la collaboration de D. BÉLISLE, A. GAUTHIER et Y. PINARD
1985   *Du travail et de l'amour*, Montréal, Éditions Saint-Martin.

VERDON, Michel
1973   *Anthropologie de la colonisation au Québec. Le dilemme d'un village du Lac Saint-Jean*, Montréal, Presses de l'Université de Montréal.

VINET, A., F. DUFRESNE et L. VÉZINA

1982   *La condition féminine en milieu ouvrier, une enquête*, Québec, Institut québécois de recherche sur la culture.

WARGON, Sylvia T.

1979   *Familles et ménages au Canada. Tendances démographiques récentes*, Ottawa, ministère des Approvisionnements et Services et Statistique Canada.

WRIGHT MILLS, C.

1959   *The Sociological Imagination*, New York, Oxford University Press.

YOUNG, M. et P. WILMOTT

1957   *Family and Kinship in East London*, London, Routledge and Kegan Paul.

1973   *The Symmetrical Family*, London, Routledge and Kegan Paul.

LES PUBLICATIONS DE L'IQRC*

I. La famille, les sexes, les générations

1. Denise Lemieux et Lucie Mercier. *La recherche sur les femmes au Québec: bilan et bibliographie*. Coll. «Instruments de travail» n° 5, 1982, 339 pages. **ÉPUISÉ (nouvelle édition revue et augmentée en préparation).** 14,25 $

2. Renée Cloutier, Gabrielle Lachance, Denise Lemieux, Madeleine Préclaire et Luce Ranger-Poisson. *Femmes et culture au Québec*. Coll. «Documents préliminaires» n° 3, 1982, 107 pages. **ÉPUISÉ** 6 $

3. Alain Vinet, Francine Dufresne et Lucie Vézina. *La condition féminine en milieu ouvrier: une enquête*. Coll. «Identité et changements culturels» n° 3, 1982, 222 pages. **ÉPUISÉ** 18,50 $

4. Yolande Cohen. *Les thèses québécoises sur les femmes*. Coll. «Instruments de travail» n° 7, 1983, 124 pages. 8 $

5. Denise Lemieux. *Les petits innocents. L'enfance en Nouvelle-France*. 1985, 205 pages. 12 $

6. Fernand Dumont, dir. *Une société des jeunes?* 1986, 397 pages. 14,50 $

7. Marie-Marthe T. Brault. *Du loisir à l'innovation. Les associations volontaires de personnes retraitées*. Coll. «Documents de recherche» n° 15, 1987, 176 pages. 15 $

8. Renée B.-Dandurand et Lise Saint-Jean. *Des mères sans alliance. Monoparentalité et désunions conjugales*. 1989, 2e édition, 297 pages. 22 $

9. Renée B.-Dandurand. *Le mariage en question. Essai sociohistorique*. 1991, 2e édition, 190 pages. 18 $

10. Isabelle Perrault. *Autour des jeunes. Reconnaissance bibliographique*. Coll. «Documents de recherche» n° 17, 1988, 422 pages. 24 $

11. Denise Lemieux et Lucie Mercier. *Les femmes au tournant du siècle, 1880-1940. Âges de la vie, maternité et quotidien*. 1991, 3e tirage, 398 pages. 28 $

12. Gabrielle Lachance. *Nouvelles images de la vieillesse. Une étude de la presse âgée au Québec*. Coll. «Documents de recherche» n° 22, 1990, 168 p. 20 $

13. Marie-Marthe T. Brault. *Le travail bénévole à la retraite*. Coll. «Documents de recherche» n° 25, 1990, 119 pages. 15 $

14. Denise Lemieux, dir. *Familles d'aujourd'hui*. IQRC en collaboration avec le Musée de la civilisation, 1990, 243 pages. 24 $

---

* Le prix des publications est sujet à modification sans préavis.

II. Les communautés ethnoculturelles

1. David Rome, Judith Nefsky et Paule Obermeir. *Les Juifs du Québec — Bibliographie rétrospective annotée.* Coll. «Instruments de travail» n° 1, 1981, 319 pages.   13 $

2. Gary Caldwell et Éric Waddell, dir. *Les anglophones du Québec: de majoritaires à minoritaires.* Coll. «Identité et changements culturels» n° 1, 1982, 482 pages.   14 $

3. Gary Caldwell et Éric Waddell, editors. *The English of Quebec: from majority to minority status.* Coll. «Identité et changements culturels» n° 2, 1982, 466 pages.   14 $

4. Gary Caldwell. *Les études ethniques au Québec — Bilan et perspectives.* Coll. «Instruments de travail» n° 8, 1983, 108 pages.   10,50 $

5. Honorius Provost. *Les premiers Anglo-Canadiens à Québec — Essai de recensement (1759-1775).* Coll. «Documents de recherche» n° 1, 2ᵉ édition, 1984, 71 pages. **ÉPUISÉ**   7,50 $

6. Tina Ioannou. *La communauté grecque du Québec.* Coll. «Identité et changements culturels» n° 4, 1984, 337 pages.   18 $

7. Pierre Anctil et Gary Caldwell. *Juifs et réalités juives au Québec.* 1984, 371 pages.   20 $

8. Richard Dominique et Jean-Guy Deschênes. *Cultures et sociétés autochtones du Québec. Bibliographie critique.* Coll. «Instruments de travail» n° 11, 1985, 221 pages.   19,50 $

9. Ronald Rudin. *The Forgotten Quebecers. A History of English-Speaking Quebec, 1759-1980.* 1985, 315 pages.   14 $

10. Ronald Rudin. *Histoire du Québec anglophone, 1759-1980.* Traduit de l'anglais par Robert Paré, 1986, 332 pages.   15 $

11. Denise Helly. *Les Chinois à Montréal, 1877-1951.* 1987, 315 pages.   20 $

12. Fernand Ouellet, dir. *Pluralisme et école. Jalons pour une approche critique de la formation interculturelle des éducateurs.* 1990, 2ᵉ tirage, 617 pages.   30 $

13. Pierre Anctil. *Le rendez-vous manqué. Les Juifs de Montréal face au Québec de l'entre-deux-guerres.* 1988, 366 pages.   25 $

14. Pierre Anctil. *«Le Devoir», les Juifs et l'immigration. De Bourassa à Laurendeau.* 1988, 170 pages.   18 $

III. La culture populaire

1. Yvan Lamonde, Lucia Ferretti et Daniel Leblanc. *La culture ouvrière à Montréal (1880-1920): bilan historiographique.* Coll. «Culture populaire» n° 1, 1982, 178 pages.   9 $

2. Danielle Nepveu. *Les représentations religieuses au Québec dans les manuels scolaires de niveau élémentaire (1950-1960).* Coll. «Documents préliminaires» n° 1, 1982, 97 pages.   6,50 $

3. Jean-Pierre Dupuis, Andrée Fortin, Gabriel Gagnon, Robert Laplante et Marcel Rioux. *Les pratiques émancipatoires en milieu populaire.* Coll. «Documents préliminaires» n° 2, 1982, 178 pages.   9 $

4. Jean Bourassa. *Le travailleur minier, la culture et le savoir ouvrier.* Coll. «Documents préliminaires» n° 4, 1982, 79 pages.   5,25 $

5. Sophie-Laurence Lamontagne. *L'hiver dans la culture québécoise (XVII*e*-XIX*e* siècles).* 1983, 197 pages.   11,50 $

6. Joseph Laliberté. *Agronome-colon en Abitibi.* Coll. «Littérature quotidienne» n° 1, 1983, 157 pages.   12 $

7. Benoît Lacroix et Jean Simard. *Religion populaire, religion de clercs?* Coll. «Culture populaire» n° 2, 1984, 444 pages.   22 $

8. Benoît Lacroix et Madeleine Grammond. *Religion populaire au Québec. Typologie des sources — Bibliographie sélective (1900-1980).* Coll. «Instruments de travail» n° 10, 1985, 175 pages.   15 $

9. Andrée Fortin. *Le Rézo. Essai sur les coopératives d'alimentation au Québec.* Coll. «Documents de recherche» n° 5, 1985, 282 pages.   17 $

10. Jean-Pierre Dupuis. *Le ROCC de Rimouski. La recherche de nouvelles solidarités.* Coll. «Documents de recherche» n° 6, 1985, 282 pages.   17 $

11. Centre populaire de documentation de Montréal. *Le choc du passé. Les années trente et les sans travail. Bibliographie sélective annotée.* Coll. «Documents de recherche» n° 11, 1986, 186 pages.   15 $

12. Yvan Lamonde et Raymond Montpetit. *Le parc Sohmer de Montréal, 1889-1919. Un lieu populaire de culture urbaine.* 1986, 231 pages.   17 $

13. Thérèse Beaudoin. *L'été dans la culture québécoise, XVII*e*-XIX*e* siècles.* Coll. «Documents de recherche» n° 10, 1987, 235 pages.   20 $

14. Gabriel Gagnon et Marcel Rioux. *À propos d'autogestion et d'émancipation. Deux essais.* 1988, 190 pages.   17 $

15. Madeleine Gauthier. *Les jeunes chômeurs. Une enquête.* Coll. «Documents de recherche» n° 18, 1989, 2e tirage, 302 pages.   18 $

16. Ginette Paquet. *Santé et inégalités sociales.* Coll. «Documents de recherche» n° 21, 1990, 2e tirage, 131 pages.   14 $

IV. La création et la diffusion de la culture

1. Jean-Robert Faucher, André Fournier et Gisèle Gallichan. *L'information culturelle dans les médias électroniques.* Coll. «Diagnostics culturels» n° 1, 1981, 167 pages.   7 $

2. Angèle Dagenais. *Crise de croissance: le théâtre au Québec.* Coll. «Diagnostics culturels» n° 2, 1981, 73 pages.   5 $

3. Yvan Lamonde et Pierre-François Hébert. *Le cinéma au Québec — Essai de statistique historique (1896 à nos jours).* Coll. «Instruments de travail» n° 2, 1981, 481 pages.   18 $

4. François Colbert. *Le marché québécois du théâtre.* Coll. «Culture savante» n° 1, 1982, 112 pages.   8 $

5. Jean-Pierre Charland et Nicole Thivierge. *Bibliographie de l'enseignement professionnel au Québec (1850-1980).* Coll. «Instruments de travail» n° 3, 1982, 284 pages.   14 $

6. Vivian Labrie. *Précis de transcription de documents d'archives orales.* Coll. «Instruments de travail» n° 4, 1982, 220 pages.   11 $

7. Sylvie Tellier. *Chronologie littéraire du Québec.* Coll. «Instruments de travail» n° 6, 1982, 352 pages.   18,50 $

8. Jean-Pierre Charland. *Histoire de l'enseignement technique et professionnel.* 1982, 485 pages.   25,50 $

9. Nicole Thivierge. *Écoles ménagères et instituts familiaux: un modèle féminin traditionnel.* 1982, 478 pages.   25,50 $

10. Yvan Lamonde, dir. *L'imprimé au Québec: aspects historiques (18e-20e siècles).* Coll. «Culture savante» n° 2, 1983, 370 pages.   18 $

11. Yvan Lamonde. *Je me souviens. La littérature personnelle au Québec (1860-1980).* Coll. «Instruments de travail» n° 9, 1983, 278 pages.   17 $

12. Claude Savary, dir. *Les rapports culturels entre le Québec et les États-Unis.* 1984, 353 pages.   17 $

13. Pierre Lavoie. *Pour suivre le théâtre au Québec. Les ressources documentaires.* Coll. «Documents de recherche» n° 4, 1985, 521 pages. **ÉPUISÉ**   22 $

14. Jacques Dufresne, Fernand Dumont et Yves Martin. *Traité d'anthropologie médicale. L'Institution de la santé et de la maladie.* Presses de l'Université du Québec, Institut québécois de recherche sur la culture, Presses Universitaires de Lyon, 1985, XVII-1 245 pages.   59,95 $

15. Léon Bernier et Isabelle Perrault. *L'artiste et l'oeuvre à faire.* «La pratique de l'art 1», 1985, 518 pages. **ÉPUISÉ**   30 $

16. Marcel Fournier. *Les générations d'artistes suivi d'entretiens avec Robert Roussil et Roland Giguère.* «La pratique de l'art 2», 1986, 202 pages.   18 $

17. Yvan Lamonde et Esther Trépanier. *L'avènement de la modernité culturelle au Québec.* 1986, 320 pages.   24,50 $

18. Vivian Labrie. *ABC: Trois constats d'alphabétisation de la culture.* 1986, 246 pages.   29 $

19. Maurice Lemire, dir. *L'institution littéraire.* IQRC et CRELIQ, 1986, 217 pages.   19,50 $

20. Alfred Dumais et Johanne Lévesque. *L'auto-santé. Des individus et des groupes au Québec.* 1986, 223 pages.   17 $

21. Gabrielle Lachance, dir. *Mémoire d'une époque. Un fonds d'archives orales au Québec.* Coll. «Documents de recherche» n° 12, 1987, 251 pages.   16 $

22. Marcel Fournier, Yves Gingras et Othmar Keel. *Sciences et médecine au Québec: perspectives sociohistoriques.* 1987, 212 pages.   20 $

23. Maurice Lemire, dir., avec la collaboration de Pierrette Dionne et Michel Lord. *Le poids des politiques. Livres, lecture et littérature.* 1987, 191 pages.   18 $

24. Vivian Labrie. *Alphabétisé-e-s! Quatre essais sur le savoir-lire.* 1987, 270 pages.   30 $

25. Claude Galarneau et Maurice Lemire, dir. *Livre et lecture au Québec, 1800-1850.* 1988, 270 pages.   22 $

26. M'hammed Mellouki. *Savoir enseignant et idéologie réformiste. La formation des maîtres (1930-1964).* Coll. «Documents de recherche» n° 20, 1989, 392 pages.   28 $

27. Jean-Pierre Charland. *Les pâtes et papiers au Québec 1880-1980. Technologies, travail et travailleurs.* Coll. «Documents de recherche» n° 23, 1990, 447 pages.   24 $

28. Fernand Dumont et Yves Martin, dir. *L'éducation, 25 ans plus tard! Et après?* 1990, 432 pages.   24 $

29. Fernand Dumont, dir. *La société québécoise après 30 ans de changements.* 1991, 2ᵉ tirage, 358 pages.   20 $

30. Simon Langlois, dir. *La société québécoise en tendances, 1960-1990.* 1990, 667 pages.   29,95 $

V. Les régions du Québec

1. Jean-Claude Marsan. *Montréal, une esquisse du futur.* 1983, 325 pages.
     15 $

2. André Dionne. *Bibliographie de l'île Jésus*. Coll. «Documents de recherche» n° 2, 1983, 324 pages. **ÉPUISÉ** 18,50 $

3. Serge Gauthier et collaborateurs. *Bibliographie de Charlevoix*. Coll. «Documents de recherche» n° 3, 1984, 320 pages. **ÉPUISÉ** 18 $

4. Serge Gauthier et collaborateurs. *Guide des archives de Charlevoix*. 1985, VIII-97 pages. **ÉPUISÉ** 6 $

5. Serge Laurin et Richard Lagrange. *Bibliographie des Laurentides*. Coll. «Documents de recherche» n° 7, 1985, 370 pages. 18 $

6. Yves Hébert. *Bibliographie de la Côte-du-Sud*. Coll. «Documents de recherche» n° 8, 1986, 339 pages. 18 $

7. Guy Gaudreau. *L'exploitation des forêts publiques au Québec, 1842-1905*. 1991, 2ᵉ tirage, 126 pages. 11 $

8. Yves Beauregard. *Bibliographie du Centre du Québec et des Bois-Francs*. Coll. «Documents de recherche» n° 9, 1986, 495 pages. 25 $

9. Marc Desjardins. *Bibliographie des Îles-de-la-Madeleine*. Coll. «Documents de recherche» n° 13, 1987, 281 pages. 20 $

10. Daniel Tessier et al. *Bibliographie de Lanaudière*. Coll. «Documents de recherche» n° 14, 1987, 270 pages. 20 $

11. Antonio Lechasseur avec la collaboration de Jacques Lemay. *Municipalités et paroisses du Bas-Saint-Laurent, de la Gaspésie et des Îles-de-la-Madeleine. Populations et limites territoriales 1851-1981*. 1987, 51 pages, 5 microfiches (Bas-Saint-Laurent, 563 p., Gaspésie et Îles-de-la-Madeleine, 304 p.). 10 $

12. Marc Desjardins. *Bibliographie de la Gaspésie*. Coll. «Documents de recherche» n° 16, 1987, 436 pages. 24 $

13. Françoise de Montigny-Pelletier et Andrée Raiche-Dussault. *Bibliographie de la Rive-Sud de Québec (Lévis—Lotbinière)*. Coll. «Documents de recherche» n° 19, 1989, 263 pages. 20 $

14. Diane Saint-Pierre et Yves Hébert. *Archives paroissiales de la Côte-du-Sud. Inventaire sommaire*. 1990, 55 pages, 4 microfiches (XXV-581 pages). 10 $

15. Monique Perron avec la collaboration de Luc Boisvert et Roland Viau. *Bibliographie du Haut-Saint-Laurent. Sud-ouest de la Montérégie*. Coll. «Documents de recherche» n° 24, 1990, 318 pages. 22 $

16. Gaston Saint-Hilaire avec la collaboration d'Andrée Raiche-Dussault. *Bibliographie de la Côte-Nord*. Coll. «Documents de recherche» n° 26, 1990, 340 pages. 18 $

VI. Hors chantier

1. Paul Aubin. *Bibliographie de l'histoire du Québec et du Canada (1966-1975)*. 2 tomes — 1981, XXIII-1425 pages, 22 000 titres.   60 $

2. Gabrielle Lachance. *La culture contemporaine face aux industries culturelles et aux nouvelles technologies*. Rapport-synthèse, Rencontre franco-québécoise sur la culture, Québec-Montréal, du 4 au 8 juin 1984, 145 pages.   7 $

3. *Statistiques culturelles du Québec (1971-1982)*. 1985, XLII-932 pages. 45 $

4. Paul Aubin et Louis-Marie Côté. *Bibliographie de l'histoire du Québec et du Canada/Bibliography of the History of Quebec and Canada (1976-1980)*. 2 tomes — 1985, LXIV-1316 pages, 20 000 titres.   60 $

5. Jean-Paul Baillargeon, dir. *Les pratiques culturelles des Québécois. Une autre image de nous-mêmes*. 1986, 394 pages.   19,50 $

6. Paul Aubin et Louis-Marie Côté. *Bibliographie de l'histoire du Québec et du Canada/Bibliography of the History of Quebec and Canada (1946-1965)*. 2 tomes — 1987, LXXVII-1396 pages, 22 000 titres.   60 $

7. Paul Aubin et Louis-Marie Côté. *Bibliographie de l'histoire du Québec et du Canada/Bibliography of the History of Quebec and Canada (1981-1985)*. 2 tomes — 1990, C-2073 pages, 29 000 titres.   80 $

VII. Collection Les régions du Québec

1. Jules Bélanger, Marc Desjardins et Yves Frenette. *Histoire de la Gaspésie*. Coll. «Les régions du Québec» n° 1, Montréal, Boréal Express, 1981, 807 pages. **ÉPUISÉ**   29,95 $

2. Camil Girard et Normand Perron. *Histoire du Saguenay—Lac-Saint-Jean*. Coll. «Les régions du Québec» n° 2, 1989, 665 pages.   40 $ br., 50 $ rel.

3. Serge Laurin. *Histoire des Laurentides*. Coll. «Les régions du Québec» n° 3, 1989, 892 pages.   45 $ br., 55 $ rel.

VIII. Collection Questions de culture

1. Fernand Dumont, dir. *Cette culture que l'on appelle savante*. 1981, 190 pages.   15 $

2. Fernand Harvey et Gary Caldwell, dir. *Migrations et communautés culturelles*. 1982, 159 pages.   15 $

3. Fernand Dumont, dir. *Les cultures parallèles*. 1982, 172 pages.   15 $

4. Jean-Charles Falardeau, dir. *Architectures: la culture dans l'espace*. 1983, 210 pages.   15 $

5. Yvan Lamonde, dir. *Les régions culturelles*. 1983, 189 pages.   12 $

6. Madeleine Préclaire, dir. *La culture et l'âge*. 1984, 198 pages.   12 $

7. Gabrielle Lachance, dir. *La culture: une industrie?* 1984, 216 pages.   12 $

8. Pierre Anctil, Léon Bernier et Isabelle Perrault, dir. *Présences de jeunes artistes*. 1985, 190 pages.   12 $

9. Denise Lemieux, dir. *Identités féminines: mémoire et création*. 1986, 199 pages.   12 $

10. Gabriel Dussault, dir. *L'État et la culture*. 1986, 173 pages.   12 $

11. Thérèse Hamel et Pierre Poulin, dir. *Devenir chercheur-e: itinéraires et perspectives*. 1986, 185 pages.   12 $

12. Madeleine Gauthier, dir. *Les nouveaux visages de la pauvreté*. 1987, 258 pages.   18,50 $

13. Renée B.-Dandurand, dir. *Couples et parents des années quatre-vingt*. 1989, 2ᵉ tirage, 284 pages.   20 $

14. Gladys L. Symons, dir. *La culture des organisations*. 1988, 220 pages.   18 $

15. Gilles Pronovost et Daniel Mercure, dir. *Temps et société*. 1989, 258 pages.   20 $

16. Marie-Marthe T. Brault et Lise Saint-Jean, dir. *Entraide et associations*. 1990, 280 pages.   22 $

IX. **Collection Diagnostic**

1. Laurent Laplante. *Le suicide*. 1985, 126 pages.   9,95 $

2. Jacques Dufresne. *La reproduction humaine industrialisée*. 1986, 126 pages.   9,95 $

3. Gérald LeBlanc. *L'école, les écoles, mon école*. 1986, 110 pages.   9,95 $

4. Jean Blouin. *Le libre-échange vraiment libre?* 1986, 135 pages.   9,95 $

5. Jacques Dufresne. *Le procès du droit*. 1987, 127 pages.   9,95 $

6. Michel Plourde. *La politique linguistique du Québec (1977-1987)*. 1989, 2ᵉ tirage, 143 pages.   9,95 $

7. Vincent Lemieux. *Les sondages et la démocratie*. 1988, 122 pages.   9,95 $

8. Laurent Laplante. *L'université. Questions et défis*. 1988, 141 pages.   9,95 $

9. Jean-Pierre Rogel. *Le défi de l'immigration*. 1989, 123 pages.   9,95 $

10. Jacques Henripin. *Naître ou ne pas être*. 1989, 141 pages.   9,95 $

11. Diane-Gabrielle Tremblay. *L'emploi en devenir*. 1990, 121 pages.   9,95 $

187

X. Collection Edmond-de-Nevers

1. Lucie Robert. *Le manuel d'histoire de la littérature canadienne de Mgr Camille Roy*. 1982, 198 pages.   11 $

2. Réal Brisson. *La charpenterie navale à Québec sous le régime français*. 1983, 320 pages.   19,50 $

3. Hélène Lafrance. *Yves Thériault et l'institution littéraire québécoise*. 1984, 174 pages.   13,50 $

4. Hélène Laforce. *Histoire de la sage-femme dans la région de Québec*. 1985, 237 pages.   19,50 $

5. Michel Sarra-Bournet. *L'Affaire Roncarelli. Duplessis contre les Témoins de Jéhovah*. 1986, 196 pages.   18 $

6. Denis Goulet. *Le commerce des maladies. La publicité des remèdes au début du siècle*. 1987, 139 pages.   20 $

7. Hélène Bédard. *Les Montagnais et la réserve de Betsiamites (1850-1900)*. 1988, 149 pages.   20 $

8. Robert Laliberté. *L'imaginaire politique de Victor Segalen*. 1989, 152 pages.   20 $

9. Aline Charles. *Travail d'ombre et de lumière. Le bénévolat féminin à l'Hôpital Sainte-Justine, 1907-1960*. 1990, 191 pages.   22 $

XI. Rapports de recherche et manuscrits à diffusion limitée*

1. Louise Rondeau. *Le récit de fin du monde: orientations méthodologiques de recherche*. Québec, IQRC, 1982, 70 pages.

2. Michelle Trudel-Drouin. *Vie quotidienne en Nouvelle-France: un choix de textes*. Montréal, IQRC, 1982, 166 pages.

3. Paule Chouinard. *Anthologie de poèmes québécois sur les saisons*. Montréal, IQRC, 1983, 1 350 pages.

4. Mireille Perreault. *Marchandisation, industrialisation de la culture*. Rimouski, IQRC, 1983, 72 pages.

5. Carmen Quintin. *Les pratiques émancipatoires dans deux coopératives d'habitation de la région montréalaise*. Montréal, IQRC, 1983, 124 pages.

6. Gary Caldwell, Paule Obermeir et al. *Out-migration of 1971 English Mother-tongue High School Leavers from Quebec: eleven years after*. Lennoxville, IQRC et Anglo Quebec en Mutation Committee, 1984, 37 pages.

* disponibles sur demande à l'IQRC, 14, rue Haldimand, Québec, G1R 4N4
Téléphone: (418) 643-4695
Télécopieur: (418) 646-3317

188

7. Gabrielle Lachance. *Le rapport industrie/culture*. 1987, 5 cahiers. I. L'artisanat et les métiers d'art, 38 p. II. Les arts d'interprétation, 38 p. III. Le cinéma, 40 p. IV. Le livre, 40 p. V. Quelques indications bibliographiques, 38 p.

8. Johanne Bujold. *Utilisation des centres d'emploi du Canada par les étudiants*. Québec, IQRC, 1990, 67 pages.   5 $

9. Madeleine Gauthier et Jean-Pierre Simard. *L'intégration des jeunes en emploi au Québec en 1986*. Québec, IQRC, 1990, 22 pages.   3 $

10. Sophie-Laurence Lamontagne. *Problèmes actuels de la condition féminine*. Québec, IQRC, 1990, 59 pages.   5 $

11. Madeleine Gauthier. *L'insertion de la jeunesse québécoise en emploi*. Québec, IQRC, 1990, 119 pages.   8 $

12. Jean-Paul Baillargeon. *Vers un système de statistiques sur les industries culturelles de la francophonie. État général de la situation et propositions d'une première étape de réalisation*. Québec, IQRC, 1990, 51 pages.   6 $

XII. Banques de données sur support informatique

1. Jean-Pierre Chalifoux. *Le livre et la lecture au Québec au XXᵉ siècle*. Montréal, IQRC, 1982, (8000 titres)*

2. Paul Aubin et Louis-Marie Côté. *HISCABEQ. Bibliographie de l'histoire du Québec et du Canada (1946-1980)*. Montréal, IQRC, 1981, (100 000 titres — mise à jour trimestrielle)**

XIII. Documents audiovisuels***

1. Arthur Lamothe. Culture amérindienne. Archives. (Soixante documents produits par les Ateliers audiovisuels du Québec.)

---

* accessible sur demande aux Services documentaires Multimedia inc., 1685, rue Fleury Est, Montréal, H2C 1T1
Téléphone: (514) 382-0895
Télécopieur: (514) 384-9139

** accessible sur demande aux Services documentaires Multimedia inc., 1685, rue Fleury Est, Montréal, H2C 1T1
Téléphone: (514) 382-0895
Télécopieur: (514) 384-9139

*** disponibles sur demande à l'IQRC, 14, rue Haldimand, Québec, G1R 4N4
Téléphone: (418) 643-4695
Télécopieur: (418) 646-3317

Achevé d'imprimer à Cap-Saint-Ignace
sur les presses des Ateliers graphiques Marc Veilleux Inc.
en février 1991